GW00778349

Le monde de Lucrèce

Le monde de Lucrèce 3

Anne Goscinny et Catel

Mise en couleur
de Marie-Anne Didierjean

Gallimard Jeunesse

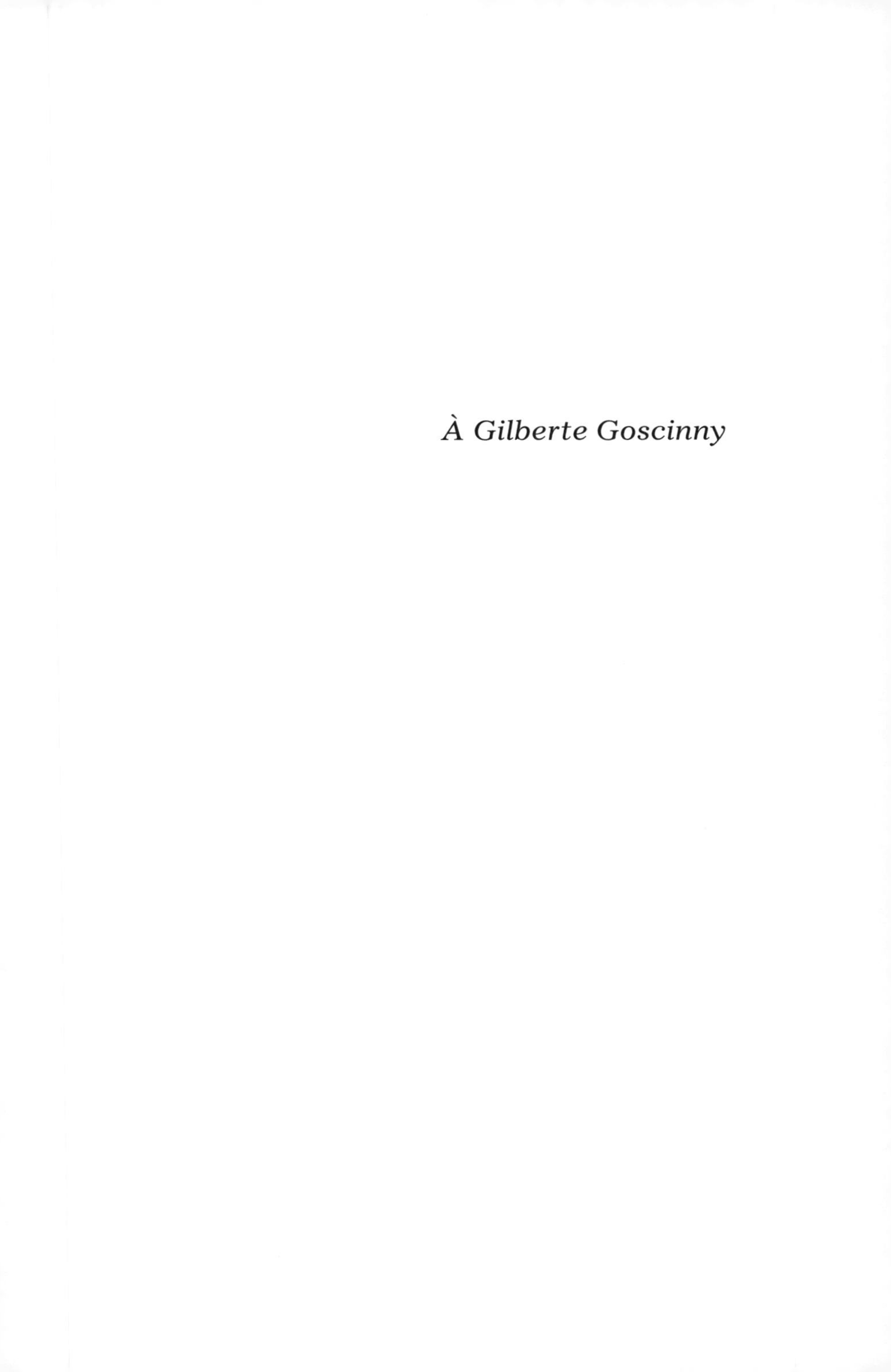

À Gilberte Goscinny

Ma chambre

Ce matin, dimanche, je me suis réveillée en réalisant que j'avais grandi, que j'étais au collège mais que j'avais encore une chambre de petite fille.

Ma chambre, c'est mon royaume. Personne n'a le droit d'entrer comme ça. Elle n'est pas très grande, mais elle est très claire. Mon lit est entouré d'étagères, mon bureau est en bois avec un tiroir au milieu. Le terrarium de Madonna est posé par terre près de la fenêtre. D'ailleurs, je crois qu'elle sait à quel moment il faut sortir pour profiter du soleil.

Tout à l'heure, les Lines sont venues goûter et je leur ai demandé ce qu'elles en pensaient.

– Toi, Aline, comment tu la trouves, ma chambre ?

– Elle est magnifique, Lulu ! s'est exclamée Aline. Et puis tu as beaucoup de chance, tu ne la partages qu'avec une tortue. Moi, j'héberge ma petite sœur et c'est très pénible. Crois-moi, il y a des jours où j'adorerais que Léonie ait des écailles et une carapace !

– T'es loufoque, toi, j'ai rigolé.

Pauline a embrayé en me disant qu'elle trouvait que j'avais de la chance d'habiter une maison et pas un appartement.

– Après tout, elle a poursuivi, tes seuls voisins sont tes parents et ton frère. Tu peux faire du bruit sans avoir de problèmes !

– C'est vrai, a enchaîné Coline. Mais je dois reconnaître que le couvre-lit rose assorti aux rideaux, tu as passé l'âge.

En voilà une qui me comprenait.

Quand elles sont parties, je ne regardais plus

ma chambre avec le même émerveillement. J'étais décidée à en parler à maman.

Le dimanche soir, maman est à la fois plus disponible que les autres jours de la semaine, ce qui n'est pas difficile, mais aussi plus fragile. Elle dit que ce soir-là, elle a le cafard parce qu'elle se souvient que quand elle avait mon âge, le dimanche était la veille du lundi et que le lundi, il y avait école.

Elle est loufoque, maman, ça fait bien un siècle qu'elle ne va plus à l'école.

J'ai aidé Georges à mettre la table dans le salon. C'est une habitude qu'on a prise il y a longtemps. Le dimanche, on dîne dans le salon, devant la télé. Tout le monde est content, sauf Victor, bien sûr, parce qu'il dit que regarder la télé le distrait de son autre écran, celui sur lequel il élève ses zombies.

– Lulu ! m'a dit Georges, appelle ta mère. Le dîner est prêt, la table est mise, Victor est de bonne humeur, Scarlett a un nouvel animal autour du cou : toutes les conditions sont réunies pour qu'elle descende !

– Maman ! Maman ! On t'attend, j'ai crié dans l'escalier.

– Comme c'est gentil, mes amours, d'avoir tout préparé, s'est exclamée maman en découvrant la table mise.

– Pourquoi t'as l'air étonnée, maman? a demandé Victor. On fait ça tous les dimanches !

– Et tous les dimanches, ça me rend heureuse !

Ce soir-là, Georges avait repéré un film de cow-boys à la télé. Je déteste ça, Victor aussi, et maman, n'en parlons pas. Mais ça lui fait tellement plaisir que quand on s'éclipse, il s'en aperçoit à peine. Il n'y a que Scarlett qui lève son verre à chaque coup de feu !

Dans la cuisine, j'ai aidé maman à ranger.

– Maman ?

– Oui, ma Lulu ?

– Moi aussi, je suis angoissée, j'ai soupiré.

– C'est-à-dire ? a demandé maman, méfiante.

– J'ai grandi, maman.

– Je sais, mon poussin, je sais, a fait maman en s'asseyant.

– Et il y a des choses qui doivent changer autour de moi, j'ai répondu avec la voix que je prends quand je lui annonce une mauvaise note.

– Des choses qui doivent changer autour de toi ?

– Eh bien, tu vois, je voudrais redécorer ma chambre.

Les cavalcades mêlées aux cris des Indiens résonnaient dans l'escalier.

– Pourquoi ? Elle n'est pas assez chic pour Madonna ? a rigolé maman.

– T'es pas drôle, maman, j'ai dit, et je suis montée.

J'ai donné de l'eau à ma tortue, je lui ai

souhaité bonne nuit. J'ai mis mon pyjama et j'ai pris un livre que Scarlett m'avait offert quand j'étais petite. Je l'aime bien, ce livre. Officiellement, il ne m'intéresse plus, mais je me suis attachée aux personnages, alors il m'arrive de le relire. Et puis, à part ma tortue, il n'y a personne pour voir que le livre en question commence par « Il était une fois ».

Maman est venue m'embrasser. Quand j'ai entendu ses pas dans l'escalier, j'ai juste eu le temps de cacher le livre sous mon lit et de prendre ma tablette. Ça la rassure.

– Bonne nuit, mon amour !

– Bonne nuit, maman.

– Tu peux me parler, tu sais, a ajouté maman.

– Je sais, maman, mais j'avais trop hâte de retrouver mon livre.

Le lendemain, quand je suis rentrée du collège, maman était dans son bureau.

– Tu es là ? j'ai dit en ouvrant la porte.

– Oui... J'avais besoin d'être tranquille. Je plaide une affaire compliquée demain.

– Il est beau, ton bureau, maman. J'adore le canapé. Et la bibliothèque en bois, elle est jolie.

– Merci, Lulu ! Mais ce n'est pas la première fois que tu viens, il me semble, a plaisanté maman.

– Ce que j'aime dans cette pièce, c'est qu'elle correspond à ton âge, j'ai ajouté en prenant un air très profond.

Maman s'est levée et s'est assise à côté de moi.

– Que veux-tu m'annoncer ou me demander, mon poussin ?

– Rien, si ce n'est que je suis au collège, plus à l'école primaire, et que dans pas si longtemps je serai au lycée, et un peu plus tard à la fac, et…

– Et à la retraite ! m'a interrompue maman.

Bon, Lucrèce, j'ai un client qui risque vingt ans de prison demain, alors si on peut dérouler ton avenir ce soir plutôt que tout de suite, je t'avoue que ça m'arrangerait.

– Mon avenir peut attendre, maman, j'ai dit, en articulant et en prenant une voix grave.

Et je suis sortie de son bureau, vexée qu'elle n'ait pas une minute pour m'écouter.

On a dîné sans maman qui a travaillé tard.

Le lendemain matin, quand je suis descendue, maman était dans la cuisine. Elle avait l'air vraiment fatiguée.

– Bonjour, mon poussin, elle m'a dit en m'embrassant.

– Bonjour, maman, j'ai répondu. Pourquoi tu mets un sachet de thé dans ton bol de café ?

– Oh là là, tu as raison ! Je n'ai pas les idées claires.

Le mardi, j'ai deux heures pour déjeuner, et Scarlett me fait souvent la surprise de venir me chercher au collège pour m'emmener à la crêperie d'à côté.

– Je vais prendre une complète et une bolée

de cidre, a dit Scarlett à la serveuse. Et toi, Lulu, que veux-tu, ma chérie ?

– Comme toi, Scarlett, sauf le cidre.

– Sacrilège ! s'est écriée ma grand-mère. Une crêpe avec de l'eau !

– Oui, bon, il faut que je te parle. C'est important. Mais ça reste entre nous.

– Je t'écoute, ma Lulu, tu peux me faire confiance : *La plus belle parure d'une femme est le silence.*

– Scarlett, je ne suis plus une enfant, et maman n'a pas l'air de s'en apercevoir.

Et j'ai parlé de ma chambre, du couvre-lit en velours rose, réversible rose plus clair, de mon petit bureau, de mes peluches sur l'étagère et sur mon lit, et j'ai même parlé de cette poupée tant aimée qui était posée là, à côté de mon bureau, et qui avait l'air de s'ennuyer.

– Je comprends, a fait Scarlett.

– Tu comprends quoi exactement ? j'ai demandé, méfiante.

– Je comprends que tu voudrais une chambre de jeune fille.

– C'est exactement ça, j'ai acquiescé.

Et j'ai englouti ma crêpe, pendant que Scarlett, rêveuse, buvait à petites gorgées une deuxième bolée de cidre.

Le soir même, Scarlett est venue dans ma chambre. Elle fait un bruit, avec ses talons !

Elle s'est assise sur mon lit, en écartant Patrice, mon ours en peluche, sans lequel j'ai encore un peu de mal à m'endormir, et Oscar, mon cochon en crochet.

– Lulu, dis-moi, comment tu la verrais, ta chambre d'enfant qui a grandi ?

– Je voudrais changer le papier peint, mettre un tapis sur le parquet, me débarrasser de mon petit bureau, avoir à la place une plaque de

HARRY POTTER
LINOTTE
Petit Nicolas
Petit Nicolas
Petit Nicolas
Petit Nicolas
LES MALHEURS DE SOPHIE
SANS FAMILLE
ASTERIX
LUCRÈCE

verre qui tiendrait sur deux tréteaux. Et surtout, je veux un nouveau lit plus large, avec plein de coussins dessus, et un couvre-lit gris ou bleu. Le rose, c'est pour les petites filles. Et puis, tu vois, Scarlett, j'ai ajouté, je suis très raisonnable parce que je ne veux pas de télévision dans ma chambre. Mon ordinateur, ma tablette et mon téléphone me suffisent.

– Je vois, a répondu Scarlett. Je vois.

Le lendemain, je suis allée à l'école, enfin au collège, heureuse d'avoir pu dire à Scarlett ce que j'avais sur le cœur.

L'après-midi s'est bien passé. Il y avait deux profs absents. Ce sont les bonnes surprises de la vie.

Scarlett est arrivée un peu plus tôt que d'habitude. Maman, elle, est rentrée beaucoup plus tard. On avait terminé de dîner, Victor et moi.

Dès que j'ai entendu la porte, je suis descendue en courant.

– Maman ! Comment ça s'est passé ? j'ai demandé.

– Mieux que prévu, mon poussin, mais j'ai tout

donné et je suis épuisée. Si tu savais la chance que tu as d'aller à l'école et d'être encore une enfant !

– Justement, a interrompu Scarlett, justement. Lulu n'est plus une enfant et elle voudrait changer un peu la décoration de sa chambre. Qu'en dis-tu, ma chérie ? a demandé Scarlett à maman de sa voix la plus gentille.

– Pourquoi pas ? a répondu maman. Quand j'y pense, heureusement qu'on a bénéficié des circonstances atténuantes.

– De quoi tu parles, maman ? j'ai demandé. Quel rapport avec ma chambre ?

Mais là, c'est à maman que j'accorde des circonstances atténuantes. Je la connais, quand elle sort d'un long procès,

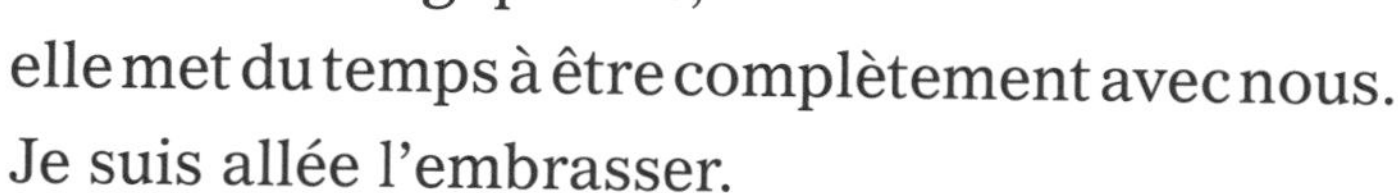

elle met du temps à être complètement avec nous. Je suis allée l'embrasser.

Et puis je suis montée dans ma chambre, j'ai

regardé Madonna qui terminait sans se presser sa seconde tomate cerise de la journée. Je me suis couchée en disposant mes animaux en peluche comme j'aime qu'ils soient. J'ai repris ce livre où il est question d'une princesse et d'une fée. Et j'ai trouvé que mon petit bureau en bois était drôlement poétique avec son tiroir unique qui me faisait penser à l'œil du cyclope du conte que j'étais en train de relire. Finalement, mon couvre-lit rose était aussi doux au regard qu'au toucher. En y réfléchissant, je crois que Madonna n'aime pas le changement. Un autre papier peint pourrait la déstabiliser.

On a frappé à ma porte.

– Oui ?

– C'est nous ! ont dit Scarlett et maman d'une seule voix. On peut entrer ?

– Ben oui, j'ai dit.

Maman s'est assise par terre à côté du terrarium de Madonna, et Scarlett a pris la chaise de mon bureau.

Moi, j'étais comme une reine, dans mon lit.

– Oui ? j'ai demandé.

– Eh bien, Lulu, a commencé maman…

– Oui, Lulu, a continué Scarlett…

– Je suis d'accord, a dit maman.

– Et moi je trouve que c'est une bonne idée, a renchéri Scarlett.

– Mais de quoi vous parlez ? j'ai demandé. Vous êtes loufoques, toutes les deux !

– De ta chambre, mon poussin, a fait maman. Je suis d'accord ! Aux prochaines vacances scolaires, on refait tout.

Scarlett m'a adressé un clin d'œil complice.

Je me suis redressée dans mon lit, en faisant attention de ne pas réveiller mon ours et mon cochon en crochet qui dormaient. J'ai fermé le livre de contes, et je leur ai répondu que j'avais réfléchi et que maman avait raison.

– C'est-à-dire ? a questionné maman.

– Je vais garder ma chambre de petite fille et profiter de mon enfance encore un peu. Et même si j'ai de plus en plus l'air d'une jeune fille, Oscar le cochon et Patrice l'ours en peluche ont encore besoin de moi.

Scarlett et maman se sont regardées, maman s'est mouchée comme quand elle est émue et Scarlett a simplement dit :

– Bon ! Je me disais bien que j'étais trop jeune pour que ma petite-fille ait une chambre de jeune fille !

Le stage

Aujourd'hui, le prof de français, M. Rimbaud, était de mauvaise humeur.

– Les enfants, conformément aux directives nationales, vous allez passer une journée en stage d'observation. En d'autres termes, on nous supprime encore une journée de cours.

– Monsieur ! a demandé Eliott.

– Eliott, je te préviens, ta question a intérêt à être utile.

Eliott n'a pas posé sa question.

Le prof de français nous a expliqué ce qu'était un stage d'observation.

– Vous allez vivre une journée dans une

entreprise, par exemple là où travaillent vos parents. Vous prendrez des notes et je vous interrogerai sur vos impressions et la façon dont se sera déroulée cette journée.

– Monsieur !

– Oui, Augustin ?

– Ça comptera dans la moyenne ?

– C'est tout ce qui t'intéresse ? Tu devrais faire ton stage chez un comptable, a répliqué M. Rimbaud, agacé.

Puis il nous a distribué une feuille à faire signer par nos parents.

À la sortie du collège, les Lines et moi on s'est attardées dans le square. On était à la fois inquiètes et joyeuses.

– Lulu, tu vas la passer où, cette journée ? m'a demandé Coline.

– Aucune idée, j'ai répondu. Mais si on considère que faire du shopping et jouer aux cartes, c'est un métier, je pense la passer avec Scarlett, ma grand-mère.

– Moi, a ajouté Pauline, j'ai tout gagné. Ma mère est prof de français, et mon père, prof de

maths. Autant dire que si je la passe avec eux, ça ne me changera pas beaucoup d'ambiance.

Aline ne disait rien. Elle semblait songeuse.

– Et toi, Aline ? j'ai demandé.

– Moi ? J'ai l'embarras du choix ! Ma mère est coiffeuse, mon père répare des ordinateurs, et mes grands-parents sont à la retraite.

– C'est bien, ça, comme idée, a fait remarquer Coline. Observer comment se passe la retraite.

On s'est levées de notre banc à nous, celui sur lequel on a gravé en tout petit deux *L* qui forment un cœur, le *L* de Lucrèce et celui des Lines, et on s'est séparées.

Quand je suis rentrée, Victor était devant sa console, son lapin sur les genoux.

– T'as de la chance que Georges et maman ne soient pas là, microbe, j'ai dit. Tu sais que tu n'as le droit de jouer qu'*après* avoir fini tes devoirs.

– Justement, je ne joue pas ! a répliqué Victor.

– Les apparences sont contre toi, j'ai rigolé.

– Je montre à Casserole comment manœuvrer pour ne pas écraser les zombies tout en chassant les morts-vivants.

Dans la cuisine, j'ai pris un paquet de biscuits et un jus de pomme que j'ai montés dans ma chambre.

Et immédiatement, j'ai téléphoné à Pauline.

– Je crois que ça m'angoisse, cette histoire de stage.

– Moi aussi, elle a répondu. Je me disais…

À ce moment-là, Victor est entré dans ma chambre, sans frapper, ce qui est formellement interdit.

– Lulu, tu sais que tu n'as pas le droit de téléphoner *avant* d'avoir terminé tes devoirs ?

Heureusement que Georges et maman ne sont pas là !

J'ai fait un bond pour le jeter hors de ma chambre, mais avant d'avoir pu lui claquer la porte au nez, il avait déguerpi.

– Justement, j'ai crié, je travaille, moi !

J'ai repris mon téléphone.

– Excuse-moi Pauline, c'était mon frère. C'est fatigant, les enfants. Tu disais ?

– Que, peut-être, je pourrais faire ce stage avec ma tante qui travaille dans un garage. Qu'est-ce que tu en penses ?

– C'est une bonne idée, j'ai dit, moyennement convaincue, avant de raccrocher.

Je suis raisonnable avec le téléphone. Je ne m'en sers pas beaucoup quand je fais mes devoirs et jamais quand je regarde un film sur ma tablette.

Après le dîner, j'ai montré à Georges et à maman la feuille que nous avait remise le prof de français.

– Mais c'est passionnant, ça, une journée d'observation dans un milieu professionnel, a dit Georges. Je suis sûr que ça peut déclencher des vocations.

– Et c'est quoi, une vocation? j'ai demandé.

– C'est ce pour quoi tu es faite, ce à quoi tu veux dédier ta vie, m'a répondu Georges en souriant. Moi, par exemple, quand j'avais ton âge, dès que je voyais passer un avion dans le ciel, j'étais heureux. Aujourd'hui, je suis aiguilleur du ciel.

– Moi, a fait Victor, je suis heureux quand je vois un zombie se battre contre un squelette. C'est peut-être ça, ma vocation, les jeux vidéo…

– On s'en serait douté, mon poussin, a soupiré maman. Et toi, Lulu? Qu'est-ce qui t'attire?

– Eh bien, j'ai répondu, plein de choses. Les tortues, les baskets, le cinéma, le shopping, les desserts, la plage mais sans trop de sable, les après-midi avec les Lines, les nounours en chocolat, les...

– Oui, oui, Lulu, m'a interrompue maman. Moi, je te parlais de ton avenir professionnel. Selon ce que tu me diras, je m'arrangerai pour que tu fasses ton stage dans un secteur qui t'intéresse.

– Je vais réfléchir alors, j'ai répondu.

Le lendemain, au collège, on ne parlait plus que de cette journée. Augustin nous a annoncé fièrement qu'il ferait son stage chez l'expert-comptable de son père, Aline dans le salon de coiffure de sa mère, Pauline, finalement dans le garage où travaille sa tante.

– Et toi, Lulu ? m'ont demandé les Lines d'une seule voix.

– Je ne sais pas. Sans doute avec ma mère. Parce que les avions de Georges, ça ne m'attire pas vraiment. Scarlett m'a proposé de m'initier au poker, mais je ne suis pas certaine que ce soit un métier.

On n'avait qu'une semaine pour se décider. Moi, c'est pas que je sois indécise, c'est que presque tout m'intéresse. Alors finalement, maman m'a convaincue.

– Lulu, je t'assure, viens passer cette journée avec moi. Tu ne le regretteras pas. Tu verras, c'est un métier passionnant, le métier d'avocat.

Je n'avais pas vraiment le choix.

Ce soir, veille du grand jour, maman a cru bon de me demander :

– Lucrèce, comment comptes-tu t'habiller demain pour venir avec moi ?

– Mais comme tous les jours, maman.

– Justement, elle a ajouté, ce serait bien de faire un petit effort, un chemisier plutôt qu'un tee-shirt, par exemple.

– Ça commence bien, j'ai ronchonné.

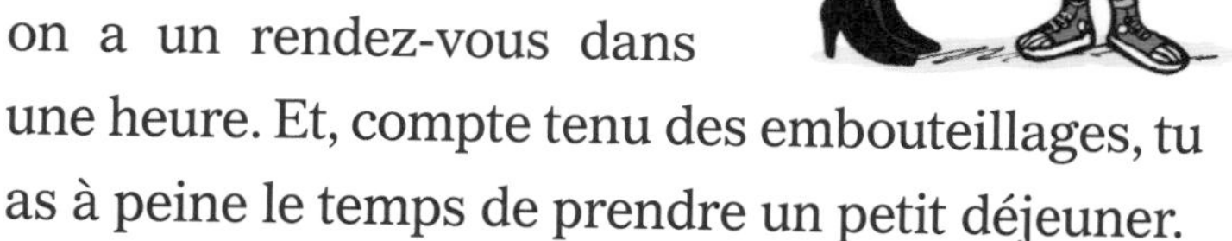

Maman a tiré les rideaux et ouvert les volets.

– Lulu ! Lulu ! Réveille-toi, on a un rendez-vous dans une heure. Et, compte tenu des embouteillages, tu as à peine le temps de prendre un petit déjeuner.

Je me suis habillée, j'ai laissé mon sac à dos dans ma chambre, au pied de mon bureau. Ça m'a fait tout drôle de sortir de la maison un mardi sans mon sac. Je ne me sentais pas entière.

On est montées dans la voiture, maman a allumé la radio et branché son téléphone. Elle a abaissé son pare-soleil pour se regarder dans le petit miroir, elle s'est arrangé les cheveux.

J'avais l'impression qu'elle avait oublié ma présence.

– Maman ?

– Mon poussin ?

– Je suis là ! j'ai dit.

– Je sais, ma Lulu, et je suis bien contente.

On a roulé longtemps. Maman râle beaucoup en voiture. Avec elle, il y a toujours trop de vélos, trop de piétons, trop d'autobus, trop de feux rouges… Elle parle même aux autres automobilistes alors qu'ils ne peuvent pas l'entendre. Elle est loufoque parfois.

Quand on est arrivées à son bureau, elle était déjà attendue par des clients. Je me suis assise sur une chaise et j'ai écouté. Mais je n'ai vraiment pas tout compris. Ensuite, elle a raccompagné ses visiteurs. Elle a allumé son ordinateur et s'est mise à écrire à toute vitesse. Son téléphone n'arrêtait pas de sonner.

– Tu ne réponds pas, maman ?

– Non ! Je ne peux pas tout faire.

Elle dit la même chose à la maison : « Je ne peux pas tout faire. » Parfois, elle ajoute : « Je ne suis pas un poulpe. »

Son travail, c'est ça : écrire très vite, ne pas décrocher, boire des litres de café.

Heureusement, elle s'est levée d'un coup et m'a dit :

– Bon, Lulu, les choses sérieuses commencent. On part plaider au tribunal.

Et elle a décroché sa robe d'avocat du portemanteau pour la mettre dans un sac.

On a repris la voiture. Cette fois, elle n'écoutait plus la radio. Elle semblait concentrée, presque inquiète, comme quand les parents de Georges viennent passer quelques jours à la maison.

On s'est garées et on est entrées dans le palais de justice. C'était très impressionnant. Mais ce qui m'a le plus étonnée, c'est que maman était très à l'aise. Elle disait bonjour à des gens, prenait tel escalier, tournait à gauche puis encore à gauche et à droite comme si elle avait été chez elle.

On est arrivées devant la salle d'audience. Elle a enfilé sa grande robe noire, a arrangé son espèce de cravate plissée et a poussé la porte battante.

Elle paraissait plus grande que d'habitude. J'étais fière et un peu émue. Elle m'a dit de m'asseoir sur un des bancs et surtout de ne rien dire, d'observer et d'écouter.

Ce jour-là, elle défendait un jeune homme qui tenait un restaurant et qui avait intoxiqué ses clients. Ils avaient été drôlement malades mais n'étaient pas morts, comme l'a fait remarquer maman. Elle a parlé longtemps et a terminé par ces mots :

– Mon client débute dans la profession. Il ne connaissait pas précisément les règles d'hygiène. Monsieur le président, je réclame votre indulgence. Comme dit le proverbe, *l'erreur n'annule pas la valeur de l'effort accompli.* Laissons-lui une chance.

– Merci, maître, a répondu le juge. Je mets l'affaire en délibéré.

Maman a hoché la tête et, en retournant à sa place, a fait un signe à son client, qui avait l'air plus détendu qu'elle.

Nous sommes sorties de la salle. Elle a enlevé sa robe noire et m'a embrassée.

– Un chocolat chaud à la buvette du Palais, ça te dirait, jeune stagiaire ?

– Et comment, cher maître ! j'ai répondu en rigolant.

Il était bon, le chocolat de la buvette.

– Quand est-ce qu'on aura le résultat pour ton client ?

– En fin d'après-midi, m'a répondu maman.

– Tout de même, j'ai fait, c'est grave d'empoisonner des gens !

– Oui, bien sûr, mais l'histoire se termine bien et la prochaine fois il fera attention.

Finalement, le client de maman a été condamné à verser des dommages et intérêts, une sorte d'amende, à ceux qu'il avait intoxiqués. Pour remercier maman de l'avoir si bien défendu, il nous a invités à dîner en famille dans son restaurant. J'étais contente. Mais maman a refusé gentiment.

– Pourquoi tu n'as pas voulu qu'on aille dîner tous les quatre dans le restaurant de ton client ? je lui ai demandé dans la voiture.

– Disons que je tiens à vous, ma Lulu ! a rigolé maman.

– Et pourquoi t'as dit au président du tribunal qu'il ne commettrait pas deux fois la même erreur, alors ?

– Parce que mon métier n'est pas de dire ce que je pense, mais de défendre les gens, a répondu maman.

Et on est rentrées à la maison sans repasser par le bureau. J'étais si fatiguée que je me suis allongée sur mon lit sans même téléphoner aux Lines.

C'est épuisant, une journée de travail. Quand Georges m'a appelée pour le dîner, je dormais à poings fermés.

Il avait essayé une nouvelle recette de lasagnes aux épinards. Scarlett, elle, avait changé de couleur de cheveux et Victor étrennait un sweat-shirt hideux que lui avait offert la mère de Georges pour son anniversaire.

– Elles sont délicieuses, tes lasagnes, chéri, a dit maman à Georges. Maman, tu as changé de coiffeur ? Victor, mon poussin, si on disait que ce joli sweat-shirt, tu le mettais quand vous faites de la peinture à l'école ?

À ce moment-là, j'ai compris que maman était une immense avocate. Elle ne ment pas, mais elle défend les choix de chacun : les lasagnes de Georges étaient immangeables, Scarlett avait raté son roux, et le cadeau de la grand-mère de Victor était horrible.

Victor a attendu le dessert pour annoncer à maman qu'il avait eu beaucoup moins que la moyenne à son interro de maths.

– C'est-à-dire ? a questionné maman.

– Ben, j'ai eu 3, a répondu Victor.

– Écoute-moi bien, Victor, a soupiré maman. Tant que ta moyenne ne remonte pas, tu peux faire une croix sur tes zombies.

– Tu ne peux pas me faire ça ! s'est décomposé Victor.

C'est là que, spontanément, je suis intervenue :

– Mais maman, ça ne fait pas si longtemps que Victor fait des maths. Et puis le problème des tables de multiplication, c'est qu'à chaque chiffre elles changent. Laisse-lui une chance. Et quand on y pense, *l'erreur n'annule pas la valeur de l'effort accompli.*

Maman a ouvert la bouche et les yeux très grands. Mais elle n'a rien dit.

Georges et Scarlett ont rigolé.

Et si j'avais trouvé ma vocation ?

Le conseil de classe

Demain, c'est mon premier conseil de classe. Premier en tant qu'élève mais aussi comme déléguée. Et je dois dire que je suis très impressionnée.

M. Rimbaud, notre prof de français, qui est aussi le professeur principal, nous a expliqué comment se déroulait un conseil de classe.

– Alors voilà, nous sommes assis autour d'une grande table…

– Il y a un goûter, monsieur ?

– Heu… Non, Joseph, il n'y a pas de goûter. Je continue. Eliott ! Peux-tu éteindre et ranger ton téléphone, s'il te plaît ? Donc, on prend vos bulletins par ordre alphabétique et on commente vos notes et votre attitude en classe. Ensuite, on attribue des récompenses. Dans l'ordre il y a les encouragements, les compliments et les félicitations.

– C'est ça, les récompenses? s'est étonné Augustin.

– Oui. Tu les voyais comment, toi? a répliqué M. Rimbaud.

– Je ne sais pas, comme des vraies récompenses: des bonbons, des ballons de foot, des jeux de fléchettes, a poursuivi Augustin qui n'a vraiment peur de rien.

– Ce sont des récompenses symboliques, a précisé M. Rimbaud en souriant. Et tu verras plus

tard, Augustin, ce sont celles qui ont le plus de valeur. Mais parfois, on ne donne aucune récompense alors que les notes sont bonnes. Dans ce cas, on aura sanctionné le comportement.

– Ah ! a affirmé Eliott, là je suis carrément rassuré !

Tout le monde a rigolé sauf M. Rimbaud qui avait l'air un peu fatigué.

– On verra demain. Vos déléguées, Lucrèce et Élisabeth, vous raconteront. Coline ! Et si tu attendais la fin du cours pour manger tes biscuits ?

Ensuite, on s'est tous mis au travail. Ça n'a sans doute rien à voir mais tout le monde était très appliqué. Même Eliott, qui n'a levé le doigt que pour poser des questions qui avaient un rapport avec le cours.

– J'aime bien les veilles de conseil de classe, a rigolé le prof de français quand ça a sonné.

En sortant du collège, les Lines étaient inquiètes.

– Tu m'appelleras, hein, Lulu ? m'a demandé Coline.

– Et moi aussi, Lulu ! a ajouté Aline.

– Et tu ne m'oublieras pas, a conclu Pauline. Tu veux un pain au chocolat à la boulangerie ?

J'ai accepté. Finalement, c'est bien d'être élue. Les copains sont gentils et vous offrent le goûter.

C'est le grand jour. Ce matin, je me suis habillée comme d'habitude, mais en mieux. J'ai fait ma tresse avec plus de soin, j'ai assorti mon pull à mes baskets.

– Tu vas au bal, Lulu ? m'a demandé Georges en me voyant si coquette.

– Pas du tout ! j'ai répondu. Je t'ai expliqué hier soir qu'aujourd'hui j'assistais à mon premier conseil de classe.

– Ah oui ! C'est vrai ! C'est une sacrée responsabilité, ça ! Première marche d'une longue carrière. On commence comme délégué de classe, et on termine à l'Élysée, m'a dit Georges avec admiration.

Il est loufoque, Georges ! Ce n'est pas parce qu'on est délégué qu'on ne choisit pas sa vie. Et je suis partie au collège comme tous les matins, la tête un peu plus haute et la natte plus serrée. Le conseil de classe nous évitait les deux dernières heures de cours de la journée, en plus deux heures de maths ! Le chemin vers l'Élysée a du bon.

Le conseil a lieu dans la salle d'honneur du collège. C'est une grande pièce avec une sculpture en marbre qui représente Molière. Au mur, il y a des boiseries comme celles que j'ai vues un jour au musée de la Chasse avec les parents de Georges, qui étaient de passage à la maison.

Avec Élisabeth, on s'est retrouvées cinq minutes avant l'heure précise. On avait décidé de se partager la classe en deux par ordre alphabétique. Moi, je m'occupe de la première partie, elle de la seconde. La porte de la grande salle était ouverte. Molière nous regardait, j'avais l'impression qu'il rigolait. On n'osait presque pas parler, alors que, moi, je suis plutôt bavarde.

– Ça va ? j'ai demandé.

– Et toi ? elle a répondu.

C'est pratique, le système de la question à laquelle on répond par une autre question. Ça permet de gagner du temps quand on n'a rien à se dire.

Le prof de maths est arrivé le premier, sourire aux lèvres, détendu.

– Lucrèce ! Élisabeth ! Alors, c'est le baptême du feu ? il a rigolé en faisant un bruit de flammes avec sa bouche.

Moi, je l'ai suivi, pas très rassurée. Ça m'a fait un peu le même effet que la fois où maman m'a emmenée l'écouter plaider. Je me sentais toute petite face à tous ces gens en robe noire

et à la mine sévère. Je n'osais ni respirer ni me moucher.

On s'est assises, Élisabeth et moi, sur les deux seules chaises en plastique, laissant les sièges confortables aux adultes. Il ne faut rien négliger pour les mettre de bonne humeur.

Les autres profs sont arrivés en grappe. Ils se seraient presque bousculés pour entrer dans la salle. Le prof de français finissait un pain au chocolat, la prof d'histoire-géo avait les yeux rivés sur son téléphone, le prof de dessin riait très fort avec le conseiller principal d'éducation.

Les deux mères déléguées n'en menaient pas plus large que nous. Mais on n'aurait pas pu les confondre avec les profs parce qu'elles, elles étaient silencieuses et concentrées sur leurs notes.

Quand le proviseur est entré, le chahut a cessé instantanément et tout le monde s'est levé.

– Asseyez-vous, mes amis, il a dit, en souriant sous sa moustache. Je voudrais tout d'abord souhaiter la bienvenue à nos deux jeunes élèves qui découvrent les coulisses de l'enseignement, ainsi qu'aux mères dévouées qui nous font l'honneur et l'amitié d'être parmi nous. Monsieur le professeur principal, je vous laisse la parole.

– Merci, monsieur le proviseur, a repris le prof de français, qui avait encore des miettes dans sa barbe. C'est une très bonne classe, dynamique, intéressante. Les enfants ont soif de connaissances dans tous les domaines, parfois même en français !

Là, tout le monde a rigolé, sauf le prof de physique, trop accaparé par sa cigarette électronique, dont il démontait tout le système.

Moi, j'étais tétanisée. Je les observais tous et j'avais l'impression que je les découvrais.

– Si vous le voulez bien, mes chers collègues, commençons. Qui veut parler de Rose ? a demandé le proviseur.

– Pas grand-chose à dire, a commenté sobrement le prof de français. Rose est une élève souriante et discrète. Ses résultats sont satisfaisants.

– Enfin, a nuancé le prof de maths, satisfaisants *pour toi*. Parce que chez moi, on a quand même l'impression que les chiffres ne lui servent qu'à composer des numéros de téléphone sur son portable !

– Qu'en pensez-vous, chère collègue ? a demandé le proviseur à la prof d'histoire-géo qui était en train d'envoyer un message.

Elle a levé la tête et a dit :

– Pas du tout, pas du tout, vous ne me dérangez pas. Continuez.

Les autres profs ont rigolé et le proviseur a tapé dans ses mains.

– Passons à Pauline.

– Pauline est appliquée, a fait remarquer le prof de SVT. Elle observe, elle est fine dans ses analyses.

– Fine ? a protesté le prof de maths. Je dirais même qu'elle est tellement fine qu'elle en est transparente !

Après, je n'ai plus tout compris. Ils parlaient tous en même temps. Le proviseur a dû taper sur la table pour ramener le silence.

– Ça suffit ! il a crié. Allons, allons ! Reprenons.

Et ils ont égrené les noms les uns après les autres. Plus mon tour approchait, plus je rapetissais.

– Passons à Lucrèce, ici présente, a enfin annoncé le proviseur.

– Ah, Lucrèce ! a continué le prof de français.

Si seulement j'avais pu être une souris ou même une mouche ! Ils parlaient de moi comme si je n'étais pas là. J'étais figée comme un lapin dans les phares d'une voiture. Mais finalement tout s'est bien passé. Ils ont tous dit que j'étais sérieuse, attentive, concentrée et attachante! J'aurais dû les enregistrer pour faire écouter à maman tous ces compliments.

Pour Élisabeth, ils ont été presque aussi élogieux, à l'exception du prof de dessin qui a signalé qu'elle oubliait systématiquement ses pinceaux. Là, le prof de physique, qui avait terminé de recharger sa cigarette, a chuchoté suffisamment fort pour que tout le monde entende:

– C'est pour ne pas se les mélanger!

– Pardon? a fait le proviseur d'un air pas commode.

– Ben oui, a expliqué le prof d'anglais, c'est pour ne pas se les mélanger, les pinceaux!

Et ils ont tous rigolé, sauf le proviseur, qui a tapé sur la table avec sa main.

– Allons, allons! On se concentre, ce n'est pas fini. La classe compte vingt-huit élèves. Si vous êtes aussi dissipés, on n'en finira jamais.

Chacun a repiqué du nez dans ses dossiers.

Élisabeth et moi, on notait à toute allure ce

que les profs disaient sur chaque élève. Mais ce n'était pas simple parce qu'on avait l'impression qu'ils parlaient un peu de tout.

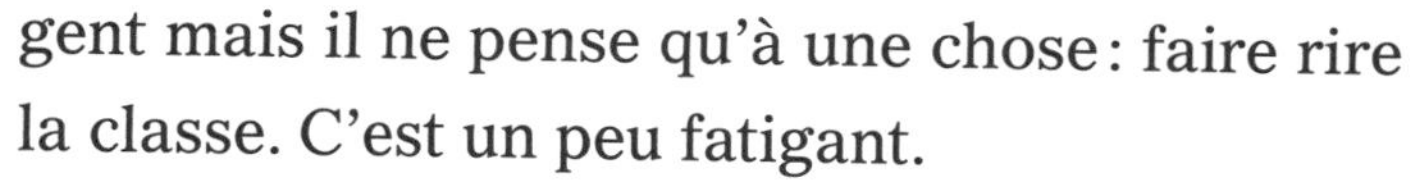

Et puis, le cas d'Eliott est arrivé.

– Bon, a commencé la prof d'histoire-géo. Que dire ? Eliott est intelligent mais il ne pense qu'à une chose : faire rire la classe. C'est un peu fatigant.

– C'est éreintant, ce type d'élève, a confirmé le prof d'anglais. Ça me rappelle une histoire. C'est un Belge, un Français et un Américain qui montent dans un avion…

– Ah ! je l'adore, celle-là, s'est étranglé de rire le prof de maths.

Là, le proviseur a utilisé la technique qui marche à tous les coups. Il a parlé à voix très basse. Comme s'il était enroué. Le silence est aussitôt revenu.

Il y a eu quelques félicitations, peu de compliments et beaucoup d'encouragements. Tout le monde avait eu l'une de ces fameuses récompenses.

Le proviseur a conclu en s'adressant à nous :

– Je ne voudrais pas que nos jeunes amies ici présentes croient que nous avons été particulièrement indulgents parce qu'il s'agit du premier trimestre. Bien qu'un peu dissipée, la classe est bonne.

Finalement, s'il n'y avait pas eu les interruptions des profs qui rigolaient pour un oui ou pour un non, ce serait passé assez vite. Élisabeth et moi, on était d'accord pour dire que ça avait été moins angoissant que prévu.

Je suis rentrée à la maison, guillerette et légère. Je me suis dit que les profs, à force de passer leurs journées avec nous, finissent par nous ressembler quand ils sont entre eux. Je crois qu'après ce conseil de classe je ne les verrai plus tout à fait comme avant.

En chemin, j'ai quand même appelé les Lines, qui m'avaient envoyé chacune des tonnes de messages composés essentiellement de points d'interrogation.

– Mais oui, Coline, tout va bien ! Tu peux faire des progrès en maths, mais ça, tu le sais.

– Allô, Pauline ? Le prof de français t'adore !

– Ne t'inquiète pas, Aline ! On est passé rapidement sur ton cas, aucun problème à signaler.

J'aime bien annoncer les bonnes nouvelles. Il a quand même fallu appeler Eliott et Augustin, qui avaient frôlé l'avertissement. J'ai un peu adouci les commentaires des profs. Le bulletin arriverait bien assez tôt.

J'avais hâte de raconter à Georges et à maman le conseil de classe.

– Alors, mon poussin ? m'a demandé maman.

– Oui, comment ça s'est passé, Lulu ? a insisté Georges.

– Eh bien, j'ai dit d'une voix grave, j'ai pris conscience de mes responsabilités. En fait, c'est très compliqué d'écouter et de noter en même temps.

Mais je n'ai pas voulu ternir la réputation des profs en leur parlant des blagues, des téléphones portables et des bruits de canettes de soda.

– Georges, j'ai ajouté, je crois que je vais m'arrêter là.

– C'est-à-dire, Lulu?

– Eh bien, si être déléguée de classe, c'est la première étape du chemin qui mène à l'Élysée, je m'arrête là.

– Pourquoi donc? a demandé Georges, intrigué.

– Parce qu'il doit falloir beaucoup d'autorité et d'énergie au président de la République pour que ses ministres restent concentrés.

Georges et maman se sont regardés, un peu étonnés.

Le lendemain, le proviseur est venu dans la classe. On avait français mais M. Rimbaud était en retard.

– Les enfants, vous êtes les citoyens de demain. Je compte sur vous pour motiver vos professeurs. Ils font un métier difficile, vous savez ! S'il est important d'être sérieux et de bien travailler, il faut aussi savoir se détendre. À propos, vous connaissez la blague où un Français, un Belge et un Américain montent dans un avion ?

– Oui, monsieur, on la connaît, a répondu Eliott très sérieusement. Là, si vous permettez, on révise notre grammaire.

Le proviseur a ouvert la bouche comme s'il voulait parler. Finalement, il est sorti de la classe en nous adressant un petit signe de la main.

Ils sont loufoques, les adultes !

Le lapin

– Les enfants, j'ai une bonne nouvelle : mes parents viennent passer le Nouvel An à la maison ! nous a annoncé Georges.

Victor ne s'est pas arrêté de pulvériser ses zombies végétariens, maman n'a pas levé les yeux de son livre, Scarlett a continué sa réussite. Leur absence de réaction m'a fait un peu de peine pour mon beau-père.

– Tu dois être content, Georges, j'ai dit. Tu ne les vois pas souvent, tes parents.

– Oui, ma Lulu, tu as raison. Ils habitent loin et ne sont plus tout jeunes.

– Évidemment, ça vous change de votre belle-mère, qui est encore très jeune…, a commencé Scarlett.

– Et qui vit pratiquement chez moi, l'a interrompue Georges.

Scarlett a fait mine de ne pas entendre.

– Et ils arriveraient quand ? a demandé maman d'une voix qui essayait d'être gentille.

– Pour le réveillon, en fin d'après-midi. Et ils repartiront deux ou trois jours après.

Moi, j'ai bien compris que maman avait parlé au conditionnel et que Georges avait répondu

au futur. Le prof de français n'a pas tort quand il nous explique qu'en maîtrisant la conjugaison, on comprend mieux les gens.

– Mais c'est demain ! s'est exclamé Victor. Allez ! À la niche les zombies ! Les grands-parents arrivent et ils ne savent pas qu'un écran, ça peut servir à autre chose qu'à regarder les informations.

– De toute façon, je m'y attendais. Ils viennent chaque année à la même date, et arrivent chaque année à la même heure. Ils sont relativement prévisibles, a pensé maman tout haut.

– Je vais préparer leur chambre, a dit Georges.

– Enfin, chéri, a souligné maman, quand tu dis *leur* chambre, il s'agit de *mon* bureau. L'année dernière, ta mère a rangé tous mes dossiers par couleurs pour me rendre service. J'ai failli devenir folle.

– Ça partait d'une bonne intention, a fait remarquer Georges en souriant.

Scarlett s'est levée, elle avait encore raté sa réussite. Et cette fois, elle n'avait pas pensé à tricher. Parce qu'il faut savoir qu'il lui arrive de tricher même quand elle joue toute seule. Elle est loufoque, ma grand-mère.

– Je vais donc vous laisser en famille, a dit Scarlett. Les parents de Georges et moi sommes incompatibles.

– Enfin, maman ! a dit maman. Tu vas bien passer leur dire bonjour quand ils seront là. Je te rappelle que vous avez un petit-fils en commun.

– On parle de moi ! s'est écrié Victor en rangeant ses manettes.

Moi, je les aime bien, les parents de Georges. Ils vivent très loin de chez nous, en Loire-Atlantique. J'adore le nom de ce département : on a l'impression qu'il hésite entre le calme du fleuve et la tempête de l'Océan. Ils ont une belle maison avec plein de pièces vides. Pourtant, quand on y va, Victor et moi, on partage la même chambre parce que la mère de Georges ne veut pas avoir trop de volets à ouvrir. Ils sont bizarres mais gentils.

La dernière fois qu'on y est allés, ils nous avaient acheté des cadeaux pour nous accueillir. Victor avait eu un jeu de construction dont il a cherché les piles pendant une partie de la journée, avant de réaliser que les piles, c'était ses mains, et qu'il devait juste entasser des rectangles de bois sans manette ni moteur. Moi, ils m'avaient offert une belle édition d'un livre où il est question d'une petite Sophie qui a des tas de malheurs. Pas très gai, mais assez drôle.

Quand ils viennent à la maison, c'est toujours la même chose : je sors le moins possible de ma chambre, sinon je dois leur faire la conversation. Et comme ils posent toujours les mêmes questions, je leur fais toujours les mêmes réponses.

– Alors Lucrèce, tu es en quelle classe maintenant ?

– Je viens d'entrer au collège.

– Ah ! c'est merveilleux, le collège. Et tu es bonne en latin ?

– Je ne fais pas de latin, je fais de l'anglais.

– Ah ! c'est merveilleux, l'anglais. Que veux-tu faire plus tard ?

– Je veux écrire des histoires ou élever des tortues.

– Ah ! c'est merveilleux…

Et ça peut durer des heures. À mon avis, ils n'écoutent pas les réponses et je connais leurs questions par cœur.

La dernière fois qu'ils sont venus, comme cadeau, ils m'ont apporté un pull bleu marine en me précisant que, quel que soit l'uniforme de mon école, il conviendrait.

Ils sont loufoques, eux ! J'ai raconté ça aux Lines, et on a bien rigolé. C'est vrai, c'est complètement dépassé, les uniformes. On a changé de siècle depuis leur jeunesse. Nous, on porte toutes le même jean, les mêmes baskets, le même blouson et le même sac. Mais on n'a plus d'uniforme.

Pendant le dîner, Georges n'a parlé que du menu du lendemain soir.

– On pourrait commencer par quelques huîtres…

– Quelle bonne idée, Georges ! s'est écriée

Scarlett. Comme ça, le collier de perles de votre mère se sentira dans son élément ! Et pour le dessert, on aura les pâtes de fruits de vos parents, Georges. Chaque année, on y a droit.

Mais avant de partir, pendant qu'elle cherchait son sac, Scarlett nous a lancé :

– Eh bien, bon réveillon, mes chéris, à l'année prochaine !

Georges a pris son air malheureux. Il s'est levé, a commencé à débarrasser la table sans dire un mot. Puis il s'est tourné vers Scarlett.

– Scarlett, vous êtes ma belle-mère préférée, est-ce que je vous l'ai déjà dit ?

– Georges, enfin ! Vous n'avez qu'une seule belle-mère si je ne m'abuse ! a rigolé Scarlett.

– C'est vrai, donc vous êtes celle que je préfère. Mes parents seraient très heureux de vous revoir. Dînez avec nous demain soir, Scarlett. Je m'occupe de tout.

– Vous êtes irrésistible, Georges. Je ne vous ai pas choisi, mais je vous aime bien. Et puis, comme dit le proverbe, *un bon père de famille doit être partout, dernier couché premier debout.*

Mais vraiment, demain soir, j'ai d'autres projets.

Alors Victor, maman et moi, on a tellement dit à Scarlett qu'elle n'était pas gentille de faire de la peine à Georges qu'elle a fini par nous promettre qu'elle serait là.

Toute la journée du lendemain, Georges et maman se sont affairés. Victor et moi on a été chargés des fruits et du pain. Maman a acheté le fromage, Scarlett a dit qu'elle apporterait du champagne et Georges s'est occupé du reste.

En début d'après-midi, j'ai demandé à maman :

– C'est le dernier jour de l'année. Avec les Lines, on voudrait se voir une dernière fois avant l'année prochaine. Je peux les inviter à goûter ?

– Bien sûr, Lulu, m'a répondu maman. Mais je te fais remarquer que l'année prochaine, c'est demain. Vous ne serez pas séparées bien longtemps.

Ça, c'est maman. Elle adore les détails.

Les Lines sont donc venues pour le goûter.

Ça sentait bon dans la cuisine. On n'a pas osé entamer le gâteau que Georges avait fait pour le dessert, donc on a mangé les glaces qui restaient dans le congélateur.

– C'est de saison ! a rigolé Georges.

– Pas de saison pour les glaces, a répondu Coline qui mangerait des marrons chauds au mois d'août.

Puis on a sonné à la porte, c'était Aramis, le meilleur copain de Victor. Il habite la maison à côté, ce qui est pratique pour qu'ils aillent jouer l'un chez l'autre.

– Salut, d'Artagnan ! a lancé Georges.

– Moi, c'est Aramis, monsieur, a répondu sans sourciller le copain de Victor, habitué à la plaisanterie.

Et ils sont montés dans la chambre de Victor, parce que les Lines et moi on occupait la cuisine et qu'on n'aime pas trop être avec des petits.

Après le goûter, on s'est souhaité bonne année. Aline passait le réveillon chez ses cousins, Pauline allait au théâtre avec sa tante, et Coline accompagnait ses parents à une soirée. C'est toujours un moment émouvant de se dire qu'on ne se reverra que l'année prochaine, même si on sait que c'est dans quelques heures.

– Ça va être la fête chez toi ! a fait Pauline en voyant la belle table que Georges avait mise. Vous recevez la reine d'Angleterre ?

– Oh non ! Ce serait plus drôle, j'ai soupiré. Ce sont les parents de Georges qui viennent comme tous les ans. D'ailleurs, ils ne devraient plus tarder : ils ne ratent jamais les vœux du président de la République à la télé.

Les Lines et Aramis sont partis en même temps. Maman était dans sa salle de bains, et Georges, très agité, rajoutait une bougie ici et une guirlande là.

Scarlett est arrivée la première. Elle était encore mieux habillée que d'habitude. Elle portait une robe noire, un long collier doré, et elle avait remplacé Igor, son renard, par une autre bestiole, plus neuve, moins pelée.

– Je vous présente Darius, elle a dit en désignant son col en fourrure.

Victor avait mis un nœud papillon. On aurait dit un clown. Moi, j'étais en robe. Les parents de Georges ne sont pas habitués aux filles en pantalon, et chaque année ils me font la remarque.

Georges avait mis une cravate et une veste, comme quand il va travailler ou quand il invite

maman au restaurant pour leur anniversaire de mariage.

Maman était très jolie, un peu maquillée pour une fois et mieux coiffée que d'habitude. Elle portait une jupe en cuir et un pull qui brillait. J'aime bien quand maman fait des efforts pour être belle. À son âge, avoir l'air jeune, c'est beaucoup de travail.

On était tous les cinq dans le salon. Georges avait mis la bouteille de champagne dans un seau à glace, et il y avait les biscuits salés pour l'apéritif dans les coupelles en argent qu'on ne sort jamais.

– On peut allumer la télé, a suggéré Victor.

– Pas question ! a grogné Georges. Ce soir, tes zombies et autres squelettes se reposent.

– Je disais juste ça parce que le président de la République va parler, a protesté mon frère.

Georges et maman se sont regardés, surpris.

– Déjà ? s'est étonné Georges.

– Tes parents sont en retard, mon chéri, a fait remarquer maman.

– Oui, ça ne leur ressemble pas. J'espère qu'il ne leur est rien arrivé, a soufflé Georges, inquiet.

– Que voulez-vous qu'il leur arrive ? a persiflé Scarlett. Ça doit faire dix ans qu'ils arrivent tous les ans, le même jour à la même heure. Ils ont peut-être oublié les pâtes de fruits et auront fait demi-tour. Une question de minutes.

Georges a allumé la télé, et tout le monde a écouté le discours du président.

Georges était nerveux, et Scarlett regardait le champagne avec envie. Maman, elle, s'était replongée dans un livre.

– Mais enfin ! s'est exclamé Georges. Que font-ils ?

– Allons, du calme, a dit Scarlett. Il y avait peut-être du monde sur l'autoroute. Ouvrons le champagne, ça les fera arriver.

C'est alors que le téléphone a sonné. Georges s'est précipité pour décrocher. Tout le monde retenait sa respiration, même Scarlett.

– Allô ! Oui, maman. Je suis mort d'inquiétude. Vous êtes où ? Où ça ? a crié Georges. Je t'entends mal. Comment ça, à Venise ? C'est une blague, j'espère !

Maman nous a fait signe de laisser Georges

téléphoner et on a filé tous les quatre dans la cuisine.

– Bon, a suggéré Scarlett à maman. Ma chérie, si tes beaux-parents réveillonnent sous le pont des Soupirs, nous, on pourrait peut-être attaquer les huîtres ? Parce qu'à moins qu'ils ne garent leur gondole devant la maison dans les cinq minutes, je vais finir l'année en mourant de faim.

Maman s'est assise et n'a même pas répondu. « Il faudra que je n'oublie pas de lui piquer son pull doré, j'ai pensé, il est vraiment joli. »

Georges nous a rejoints, une coupe de champagne à la main. Il avait l'air tout bizarre.

– Alors ? a demandé maman.

– Alors ? a répété Scarlett.

– Alors ? j'ai fait.

– Eh bien, a expliqué Georges, mon père a voulu faire une surprise à ma mère et l'a emmenée passer le réveillon à Venise. Ils étaient tellement heureux qu'ils en ont oublié de nous prévenir. Je leur ai dit ma façon de penser. Quelle déception !

– Oui, a acquiescé Victor. C'est dommage, moi, j'aime bien les pâtes de fruits.

On a quand même passé une très bonne soirée. Maman était détendue, Georges était heureux que ses parents soient encore de jeunes amoureux, et Scarlett, à chaque bouchée, faisait remarquer que les gens âgés n'avaient plus d'éducation.

– Enfin, maman, ne dis pas de bêtises, vous avez le même âge ! s'indignait maman.

– Quand même ! Pour un lapin, c'est un lapin ! a commenté Scarlett.

– Pas du tout, c'est une oie farcie, a rectifié Georges.

– Pourquoi vous parlez de lapin ? a demandé Victor, méfiant, en regardant son assiette.

– Ne t'inquiète pas, mon poussin, a souri maman. Quand quelqu'un ne vient pas à un rendez-vous, on dit qu'il a posé un lapin à celui qui l'attendait.

– Je préfère ça, a dit Victor, soulagé. L'idée d'un cousin de Casserole dans mon assiette ne me faisait pas rigoler du tout.

Je les aime bien, les parents de Georges. Finalement, ils ne sont pas si prévisibles que ça.

Trois jours plus tard, on a reçu une carte postale de Venise. Ils écrivaient qu'ils adoraient leur voyage, et que ça leur donnait envie de faire le tour du monde.

– Le tour du monde ? J'espère qu'ils penseront à prévenir, cette fois, sinon le lapin va se transformer en élevage ! a gloussé Scarlett.

Ils sont loufoques, dans cette famille.

Le club-théâtre

Ce qu'il y a de bien au collège, c'est qu'on nous propose des activités pour nous distraire un peu des maths et du français. Par exemple, il y a une chorale, de l'escalade, et il y a même un atelier d'éloquence... Ça, il faudra qu'on m'explique ce que c'est. Mais surtout, j'ai découvert qu'il existait un club-théâtre.

La semaine dernière, M. Rimbaud, notre professeur principal, nous a distribué des tracts. « INSCRIVEZ-VOUS AU CLUB-THÉÂTRE ! »

Il avait l'air emballé.

– C'est quoi comme sport exactement, du club-théâtre ? a demandé Eliott.

– Comme son nom l'indique, ce n'est pas un sport, c'est une activité culturelle.

– Mais ça consiste en quoi ? s'est risquée Rose, qui est très timide.

– C'est une initiation au théâtre. On choisit une pièce, on l'apprend, on la répète et, à la fin du dernier trimestre, on la joue devant un public.

Scarlett m'emmène de temps en temps au théâtre. Évidemment, ça ne vaut pas un film d'action au cinéma, mais j'ai quelques bons souvenirs. Ce que je n'aime pas trop, c'est quand

la pièce est en vers. On a l'impression que l'auteur préfère faire des rimes plutôt que déclencher le rire des spectateurs. Moi, si un jour j'écris une pièce de théâtre, elle sera très drôle.

– Comment ça, « on l'apprend » ? s'est affolé Augustin. Vous voulez dire qu'on l'apprend *par cœur* ?

– Eh bien, oui. Tu es déjà allé au théâtre, Augustin, n'est-ce pas ?

– Oui, évidemment.

– Tu as donc pu constater que les acteurs ne lisaient pas leurs textes, a poursuivi le prof de français, un peu moins calmement.

– C'est des devoirs en plus, alors, votre histoire de théâtre ! a fait Joseph.

Tout le monde a commencé à parler.

M. Rimbaud a tapé dans ses mains et a suggéré une dictée pour nous changer les idées.

Heureusement, j'ai sauvé la classe en levant le doigt.

– Moi, ça m'intéresse, votre club de théâtre, j'ai dit. Mais il faut une scène pour les acteurs, des sièges pour le public, une pièce, des costumes...

– Le théâtre, on l'a ! a révélé M. Rimbaud d'un air mystérieux.

On a tous ouvert des yeux ronds, même Eliott.

– Vous êtes ici au collège. Le théâtre est dans le lycée, c'est-à-dire dans la partie ancienne de l'établissement. Pour te répondre, Lucrèce, il y a une salle de spectacle, une scène, des fauteuils… Il y a même des lumières et des accessoires. Tout ce qu'il faut pour faire du théâtre.

On a tous été très sages. On a posé quelques questions, pas trop non plus et pas tous ensemble. Et quand la sonnerie a retenti, on avait échappé à la dictée surprise, et M. Rimbaud avait l'air très heureux.

C'était la dernière heure de cours. Avec les Lines, on s'est tout de suite retrouvées à la sortie. Les profs ont tendance à nous séparer en classe. Je ne comprends pas pourquoi, car on n'est vraiment pas bavardes.

– Ça va, Lulu ? s'est inquiétée Pauline. Tu as l'air complètement ailleurs.

–Vous croyez que Ruben va s'inscrire au club-théâtre ? J'aimerais bien jouer dans une pièce avec lui. J'aurais une belle robe, une belle coiffure…

– Et un cheval, un carrosse, un château ! À mon avis, a rigolé Aline, pour passer du temps avec Ruben, il y a plus simple que d'apprendre des milliers de lignes.

– Par exemple, a renchéri Coline, le croiser tout simplement dans la cour et lui proposer d'aller au cinéma ou à la boulangerie.

Le problème avec les Lines, c'est qu'elles rigolent même des choses les plus sérieuses.

Je suis rentrée à la maison et j'ai affiché la feuille d'information sur le théâtre au-dessus de mon bureau. Georges m'a installé un panneau en liège exprès pour ce genre de choses. Mais maman, qui croyait me faire plaisir, m'a acheté des petites punaises en forme de cœur et de panda. Parfois, je ne sais pas si elle a compris que je ne suis plus du tout une petite fille.

J'ai sorti mes affaires pour faire mes devoirs, mais avant, j'ai goûté, j'ai envoyé un message aux Lines pour leur demander comment ça

allait depuis tout à l'heure. J'ai joué un peu avec Madonna, j'ai regardé ma collection de vernis à ongles et j'ai remis à Oscar, mon cochon en crochet, sa cravate rose. Le temps passe si vite… Dire qu'au milieu de tout ça il faut caser une leçon sur la République romaine !

J'ai entendu la porte d'entrée. C'était maman. Chacun, dans la famille, a sa façon bien à lui d'ouvrir cette porte. Je ne me trompe jamais. Georges est discret, Scarlett bruyante, maman débordée, une fois sur deux elle fait tomber son téléphone ou son sac. Victor, lui, n'a pas encore les clefs de la maison. Il est trop petit et maman dit qu'il pourrait les perdre. Mais moi, je crois qu'il les perdrait moins souvent qu'elle.

– Maman, c'est toi ?

– Oui, ma Lulu !

J'adore ce moment-là. Elle monte dans ma chambre et m'embrasse comme si on ne s'était pas vues depuis des mois, alors qu'on a pris notre petit déjeuner ensemble le matin même.

– Maman, j'ai annoncé d'emblée, je veux faire du théâtre.

Ça l'a fait sourire.

– Allons bon ! Nous avons eu, dans l'ordre, l'accordéon, les claquettes, le football et j'en oublie. Maintenant, c'est le théâtre. Mais pourquoi pas ? J'adorais ça aussi quand j'étais jeune fille. Et pourquoi cette soudaine envie ?

Je lui ai montré l'invitation que j'avais épinglée sur le panneau de liège.

– Je suis contente, a dit maman. Tu te sers des punaises que je t'ai offertes.

C'est dingue, ça, j'ai pensé. Je lui révèle ma nouvelle vocation et elle s'attarde sur les pandas !

– Alors ? j'ai demandé. Tu es d'accord ?

– D'accord pour quoi, mon poussin ?

– Mais pour que je m'inscrive au club-théâtre !

– Bien sûr ! Du moment que ça n'empiète pas sur tes devoirs.

C'est bien maman, ça. Pour elle, il n'y a que les notes qui comptent. Parfois, on dirait qu'elle n'a voulu des enfants que pour qu'ils lui annoncent des bonnes notes.

– À quelle heure elle arrive, Scarlett ? j'ai demandé.

– Ah ! Elle ne te l'a pas dit ? Ce soir, ta grand-mère va au théâtre.

– La chance ! J'aurais adoré y aller avec elle.

Le lendemain, on n'avait pas français et, dans la classe, plus personne ne parlait de cette histoire de théâtre.

– Pauline, tu viens avec moi ?

– Où ça, Lulu ?

– Découvrir le théâtre dans le lycée.

– C'est qu'on n'a pas trop le droit d'aller là-bas, m'a fait remarquer Pauline.

– T'es loufoque, toi. On nous propose un club-théâtre et on n'aurait pas le droit d'aller voir ?

Pauline a cédé. On a traversé la cour du collège, on est passées sous l'espèce d'arche qui sépare les deux parties du bâtiment et on est arrivées dans la cour des lycéens.

C'est fou ce qu'ils étaient grands et nombreux. Personne n'a fait attention à nous. On a fini par demander à une élève qui avait l'air gentille où était la salle de théâtre.

Elle nous a regardées comme si on avait été deux fourmis fugueuses.

– Juste là, elle a fait, en montrant une porte aux vitres opaques.

Par chance, elle était ouverte. On s'est faufilées à l'intérieur. Personne. On a vu une scène, des rideaux rouges tirés et des sièges qui avaient l'air confortables. J'étais fascinée. C'était comme si on avait changé de pays.

– Allez, viens, m'a dit Pauline en me tirant par la manche. On retourne chez nous, au collège.

Le lendemain, M. Rimbaud nous a parlé des propositions relatives pendant presque toute

MOLIÈRE
SHAKESPEARE
William

l'heure. Aucun intérêt. Mais juste avant la sonnerie, il a demandé :

– Alors, des amateurs pour le théâtre ?

Personne ne s'est manifesté et je n'ai pas osé être la seule à lever le doigt.

Le prof de français s'est assis sur son bureau avec accablement.

– Bon, c'est un vrai succès !

Il avait l'air tout triste. C'est ça qui m'a décidée.

– Moi, je veux bien essayer, j'ai dit.

– Ah ! parfait, Lucrèce. Tu viendras me voir. C'est la première fois qu'on ouvre cet atelier théâtre aux collégiens, et je t'avoue que, pour l'instant, je n'ai que deux inscrits.

– Et c'est qui, l'autre ?

– Attends, je te dis ça tout de suite.

Il a fouillé dans son cartable, a sorti un petit calepin et l'a ouvert. J'avais le cœur qui battait à cent à l'heure.

– Un certain… euh… Ruben. Un élève de cinquième, un peu plus âgé que toi.

Je n'ai rien pu articuler tellement j'étais contente.

– Avec seulement deux élèves, ça limite le choix des pièces, a dit M. Rimbaud, pensif, comme s'il se parlait à lui-même. Une adaptation de *Roméo et Juliette*, peut-être... Oui, pourquoi pas ?

Sur le chemin de la maison, je n'ai pas ouvert la bouche. Les Lines, pour une fois, ont respecté mon silence. J'étais perturbée. Je me demandais bien ce que c'était, cette histoire de Roméo et Juliette qu'avait évoquée le prof.

J'ai fait rapidement mes devoirs, j'ai nourri Madonna, j'ai même brossé Casserole. J'étais presque déçue que ce soit si facile d'être avec Ruben.

Quand Scarlett est arrivée pour le dîner, j'étais tellement perdue dans mes pensées que c'est à peine si je lui ai dit bonjour.

– Oh là là, ma Lulu ! Que se passe-t-il ? Je te connais par cœur. Toi, tu n'es pas bien.

– Tu as entendu parler d'une pièce de théâtre qui s'appelle *Roméo et Juliette* ? j'ai demandé.

– Et comment ! s'est écriée ma grand-mère. C'est beau, très beau même, mais sinistre.

– Et l'histoire ?

– Ce sont deux très jeunes gens qui s'aiment, m'a répondu Scarlett en se recoiffant avec son petit peigne.

– *Qui s'aiment* ? j'ai répété. Et après ?

– Ils meurent à la fin, a précisé Scarlett en prenant une voix d'outre-tombe.

C'était bien ma veine. Ça m'a coupé complètement l'appétit. Enfin, sauf pour le dessert...

Le lendemain, j'ai annoncé à M. Rimbaud que, finalement, j'avais bien réfléchi et que je renonçais à devenir membre du club-théâtre.

– Ça tombe bien, m'a répondu le prof de français. L'autre candidat, le fameux Ruben, a, lui aussi, abandonné l'idée. Il a dit à son professeur qu'il préférait s'inscrire à une initiation à l'escalade. Décidément, vous êtes à un âge où vous n'avez pas de suite dans les idées !

Ça me plairait, à moi aussi, l'escalade, je me suis dit en imaginant Ruben risquant sa vie pour moi tout en haut d'une falaise.

Il est loufoque, le prof de français, de penser qu'à notre âge on n'a pas de suite dans les idées !

La fête des Mères

Dimanche, c'est la fête des Mères.

Tous les ans, c'est la même histoire. Avec Victor, on se demande ce qu'on va bien pouvoir offrir à maman.

Quand on était petits, il y a très longtemps, c'est Georges qui s'occupait du cadeau de maman.

Une année, il lui a offert une très jolie bague de notre part à tous les deux. Avec Victor, on était très fiers de ce cadeau. Maman avait les larmes aux yeux comme à chaque fois qu'elle est heureuse. Elle est loufoque, maman.

Je me souviens que, ce jour-là, Victor a fait remarquer à Georges que maman n'était pas sa maman à lui.

– Je sais, Victor, a rigolé Georges, mais elle est la mère de mes enfants, donc je me sens concerné. Tu comprends ?

– Bof, a répondu Victor avant de filer regarder un dessin animé sur sa tablette.

Et puis, à l'école, on nous faisait préparer un cadeau pour nos mamans. C'était toujours un peu la même chose, mais c'était beau et pratique.

Une année par exemple, on avait fabriqué un cendrier avec de la terre. Il fallait le faire cuire chez nous sans qu'elle le voie. Ça n'avait pas été facile. Heureusement que Georges m'avait aidée. Ensuite, on l'avait rapporté à l'école pour le peindre et le vernir. Le résultat était magnifique.

Maman avait été très émue. Elle avait même allumé une cigarette pour l'essayer.

– Mais chérie, lui avait fait remarquer Georges, tu as arrêté de fumer il y a au moins deux ans !

– C'est vrai, avait répondu maman en écrasant sa cigarette.

Résultat, le cendrier s'est transformé en vide-poche destiné à accueillir les fioles de liquide avec lesquelles maman remplit sa cigarette électronique.

Maintenant, c'est différent, nous sommes grands. Enfin, surtout moi. Victor peut continuer à lui faire des dessins avec écrit « Bonne fête, maman ». L'année dernière, il avait dessiné des squelettes qui se tiennent par les phalanges avec des cœurs tout autour.

Mais là, on n'est pas en avance : la fête des Mères, c'est demain.

Victor est entré dans ma chambre, a caressé Madonna qui dormait et s'est assis sur mon lit.

– Lulu, t'as pas une idée pour maman ?

– On pourrait lui offrir des fleurs, j'ai dit.

– Des fleurs ? s'est écrié

Victor, mais c'est ultrabanal et puis ça ne dure pas.

– Ben si, j'ai répliqué, ça dure le temps des fleurs.

Et là ça commence. Au début on discute, et très vite on se dispute.

Il me dit que maintenant que je suis au collège, je pourrais apprendre à réfléchir avec ce qu'il y a sous mes cheveux et sur mes épaules.

– De quoi tu veux parler, Victor? Je ne comprends pas.

– Je veux parler de ta tête, Lulu, de ta tête!

Je lui ai ordonné de sortir de ma chambre, il a résisté, je l'ai jeté dehors en le traitant de microbe dégénéré.

Il s'est mis à crier, moi aussi, et maman

est montée en nous suppliant de faire moins de bruit.

Elle a l'air fatiguée, maman, je me demande pourquoi.

Comme je suis la plus grande, c'est à moi de faire le premier pas. Alors je suis descendue dans la chambre de Victor, j'ai frappé doucement à la porte, et en prenant ma voix la plus tendre, j'ai dit :

– C'est moi, Victor ! Arrêtons de nous disputer. Réfléchissons ensemble.

– D'accord, Lulu, j'accepte tes excuses. J'ai pensé à un jeu vidéo. Il y en a un nouveau avec des zombies végétariens qui sont aussi allergiques au gluten. Je suis sûr que ça plairait à maman.

– Tu rigoles, là ? j'ai répondu en n'ayant absolument pas envie de rire.

– Mais pas du tout, a répliqué Victor. Pas du tout, Lulu. Maman aussi a le droit de s'amuser.

– T'es vraiment qu'un enfant, j'ai dit à Victor. Zéro maturité.

Et j'ai claqué la porte de sa chambre.

Comme souvent le samedi, je retrouve les Lines dans le square, derrière le collège. On a notre banc, et si on apporte chacune un paquet de biscuits et une boisson, ça fait un goûter encore meilleur qu'au salon de thé.

– Qu'est-ce que vous offrez à vos mamans pour la fête des Mères ? j'ai demandé.

– Moi, a répondu Coline, je lui ai écrit un poème et je le lui réciterai. Elle adore ce genre de truc.

Ça c'est Coline, elle est spéciale.

– Moi, avec ma sœur, on s'est cotisées, a ajouté Aline, et on a acheté un livre de recettes, mais uniquement des recettes de desserts. Ça fait un peu cadeau intéressé, mais au moins, ma sœur dit qu'on pourra profiter de notre investissement.

– Tiens, c'est pas bête, j'ai dit. Mais chez nous, c'est plutôt mon beau-père qui fait la cuisine parce que maman, elle n'aime pas trop ça.

– Et moi, a dit Pauline, je lui ai préparé un morceau à l'accordéon. C'est un air qu'elle chante tout le temps. Les paroles sont un peu bêtes, mais la musique est vraiment très jolie.

Et Pauline s'est mise à chanter : «Tire, tire, tire l'aiguille, ma fille, demain, demain tu te maries, mon amie… » Elle est loufoque, Pauline !

– Bon, j'ai dit, tout ça ne m'aide pas beaucoup. Je ne suis pas dingue de poésie, ma maman ne fait pas la cuisine et je ne joue pas d'accordéon. Je crois que je vais en parler à ma grand-mère.

Connaissant Scarlett, elles ont toutes les trois approuvé cette idée.

Quand on n'a plus eu de biscuits ni de jus de pomme, on s'est un peu promenées dans la grande rue. Dans la vitrine de mon magasin préféré, les baskets sont vendues avec le brillant à lèvres coordonné. C'est très chic.

– J'ai une idée pour maman, j'ai dit à Victor qui jouait dans le jardin avec Casserole, son lapin. On va demander à Scarlett de nous aider.

– Pas bête, Lulu, pour une fois.

– Merci du compliment, Victor. J'appelle Scarlett.

Je me suis calée sur mon lit, et j'ai envoyé un message à ma grand-mère : « DEMAIN C'EST LA FÊTE DES MÈRES, T'AURAIS PAS UNE IDÉE ? »

Elle n'a pas répondu. Elle devait être en train de jouer aux cartes avec des copines, ou bien peut-être était-elle au cinéma avec Gérard.

Mais en fin d'après-midi, elle a sonné, a ouvert la porte avec sa clef, elle m'étonnera toujours.

– Lulu ? Victor ? C'est moi, mes chéris ! Je suis là !

On est descendus à toute vitesse.

– Ah ! Scarlett, a fait Victor, tu vas nous aider. Qu'est-ce qui pourrait plaire à la meilleure des mamans ?

– Oui, j'ai ajouté, on a besoin de tes conseils, Scarlett. Elle est merveilleuse, on l'aime plus que tout, mais là, on sèche.

– Je vois, je vois, a répondu Scarlett. Peut-être qu'une fourrure lui ferait plaisir…

– Une fourrure ! s'est exclamé Victor, c'est pas un peu beaucoup ?

– Ou alors, a poursuivi Scarlett, un joli bijou avec une petite pierre !

Victor a haussé les épaules.

– Tu sais, Victor, a répondu Scarlett, *le cadeau d'une pensée est plus précieux que l'or.*

– Ça, c'est une bonne idée, j'ai dit, une pensée !

– C'est tellement gentil à vous, mes chéris, de vous renseigner pour que votre maman me fasse un cadeau qui me plaise !

– Alors là, Scarlett, tu n'y es pas du tout, j'ai dit en l'embrassant. On cherche une idée pour notre maman à nous !

Scarlett a eu l'air contrariée et nous a précisé que l'histoire de la pensée, c'était symbolique.

– Ça veut dire quoi, symbolique ? a demandé Victor.

Et sans attendre la réponse, il est retourné apprendre à Casserole à sauter des obstacles dans le jardin.

Scarlett s'est assise dans le salon, a sorti son téléphone et a eu l'air très concentrée. J'ai l'impression que dès qu'il ne s'agit pas d'elle, elle se désintéresse de la question. En plus, je me demande si elle ne jouerait pas au poker en ligne.

Quand je suis remontée, Victor et Casserole étaient dans ma chambre. En temps normal, ça m'énerve, mais là, j'ai été contente de les voir tous les deux. J'ai sorti ma tortue de son terrarium. Depuis que Victor a voulu leur faire faire une course comme dans *Le Lièvre et la Tortue* qu'il venait d'apprendre à l'école, Casserole et Madonna se connaissent bien. La course en question ne s'est pas déroulée exactement comme dans la fable, puisque Casserole s'est arrêté tout de suite pour manger l'herbe du jardin et que Madonna s'est endormie au soleil.

Ce jour-là, Victor a alors décrété que nos animaux avaient en commun le goût des bonnes choses.

– Qu'est-ce que tu penses des idées de Scarlett pour la fête des Mères ? m'a demandé Victor, ça devient urgent, c'est demain.

– Je crois qu'elle pensait à elle, j'ai répondu sans l'ombre d'une hésitation. Maman, elle aime les tennis, les sacs en tissu, les blousons en jean, les…

– Mais tu ne vaux pas mieux que Scarlett, Lulu ! s'est énervé mon frère. C'est toi qui aimes les baskets, les sacs et tous ces trucs !

– Eh bien, puisque tu es plus malin que tout le monde, M. Je-sais-tout, dis-moi, toi, ce qu'elle aimerait, maman !

Victor a réfléchi et, comme s'il avait eu une révélation, s'est écrié :

– Je sais ! On pourrait lui offrir des cours de

cuisine, et peut-être même plus précisément de pâtisserie.

–Victor, j'ai dit, en prenant le ton du prof de maths quand il nous annonce qu'on a tous eu de très mauvaises notes à un contrôle, je pense qu'à ce rythme-là, on va faire regretter à maman d'avoir mis au monde une génération de plus ! Tu nous reproches à Scarlett et à moi de ne penser qu'à nous, mais toi, là, tu es champion du monde !

– Bon, t'as pas tort, Lulu. On fait quoi ?

– Eh bien, à propos de pâtisserie, on pourrait faire un gâteau et écrire « Maman on t'aime » avec de la crème Chantilly.

L'idée a tout de suite plu à mon frère.

– Génial ! Et après, on le mange ! il s'est écrié, emballé.

Le lendemain matin, tôt, on s'est retrouvés tous les deux dans la cuisine. On a sorti ce qui était nécessaire à la confection d'un gâteau, sauf qu'on n'a pas le droit d'allumer le four tout seuls. Donc on a décidé de faire plutôt une mousse au chocolat.

Évidemment, chantilly sur mousse, on ne lisait pas bien la phrase.

Alors on a commencé à se disputer.

– Mais elle est nulle, ton idée, Lulu ! Comment veux-tu qu'elle arrive à lire : « Bonne fête, maman » dans ton pâté ?

Il s'est énervé, m'a envoyé une cuillère à la tête que j'ai esquivée.

– T'es pas un peu dingue ? j'ai crié.

Et pile au moment où il s'emparait d'un autre ustensile, maman est arrivée.

– Que se passe-t-il encore ? elle a demandé avec le calme qui annonce la tempête.

– Rien, maman chérie, a répondu Victor. On cherchait une idée de cadeau pour la fête des Mères.

– Eh bien, mes poussins, j'en ai une toute trouvée. Pas de dispute pendant une semaine !

– Une semaine? je me suis exclamée. Impossible. C'est juste la fête des Mères, c'est pas ton anniversaire !

Et pour une fois, on était bien d'accord, Victor et moi : franchement, maman exagérait. On voulait bien essayer une journée entière, mais ça n'était pas gagné !

Moteur !

À côté de chez moi, depuis hier soir, il y a des gens qui posent des petits cônes orange tout le long du trottoir. Dès qu'une voiture s'en va, quelqu'un surgit et bloque la place pour qu'une autre voiture ne puisse pas se garer.

– C'est peut-être pour des camions de déménagement, a suggéré Victor en rentrant de l'école.

– Ou bien c'est un centre de désintoxication mobile pour les accros aux jeux vidéo ! j'ai rigolé.

– T'es pas drôle, Lulu, a marmonné Victor, vexé.

Au fil de la journée, de gros camions se sont accumulés le long du trottoir. Les gens qui stationnent là habituellement tournaient un bon moment et finissaient par aller plus loin. Je les observais de ma chambre.

Quand Georges est rentré, il était très énervé.

– Qu'est-ce que c'est encore que cette fantaisie ? Chérie ! Tu as vu ? On ne peut même plus se garer devant chez nous !

– Je compatis, a fait maman. Mais je ne suis pas concernée : je te rappelle que j'ai un parking pour ma voiture.

Je suis descendue embrasser Georges. J'aime bien quand il rentre à la maison le soir. D'habitude, il est toujours de bonne humeur.

Victor était dans le salon, les manettes de jeu en mains, Casserole sur les genoux.

–Victor! Baisse le son. Je ne supporte plus le bruit de tes zombies qui agonisent. Je ne sais pas quel est l'ingénieur du son qui a trouvé ça, mais il mériterait…

– Bonjour, papa! l'a interrompu Victor. Moi aussi, je suis content de te voir.

En général, ça fait rire Georges, mais là, pas du tout.

– Lucrèce! Pourrais-tu ranger ta tortue? Je ne sais plus si ce sont vos bestioles qui vivent chez nous ou nous qui vivons chez elles!

– T'as pas passé une bonne journée, Georges ? j'ai demandé sans cesser de caresser la carapace de Madonna.

– Mais si, Lulu, bien sûr que si. Il y a une grève, du brouillard, ce qui ne facilite pas le décollage des avions, et quand je rentre chez moi, il y a des camions plein la rue, ce qui fait que j'ai tourné près d'une heure avant de trouver une place. En un mot, je suis fatigué.

J'ai remonté Madonna dans son terrarium. Elle est encore jeune et fragile. Je n'aime pas qu'elle côtoie des gens de mauvaise humeur.

La fenêtre de ma chambre était ouverte. Là, j'ai entendu quelqu'un parler dans un porte-voix. On aurait dit qu'un haut-parleur avait été installé dans la rue, juste devant chez nous.

« Silence! » a dit la voix.

« Moteur ! » elle a continué.

Ça, c'est loufoque alors !

Je suis descendue quatre à quatre pour voir si des extraterrestres avaient envahi le quartier. J'avais vu un film comme ça avec Scarlett l'année dernière, quand j'étais petite.

Maman et Victor étaient déjà sur le perron.

Des projecteurs éclairaient un banc un peu ancien que je n'avais jamais vu avant.

À côté du banc se trouvait un monsieur assis dans un fauteuil qui regardait des écrans.

– Quelle chance ! a dit Victor. Il en a au moins trois pour lui tout seul.

– On voit vraiment que c'est du cinéma, a fait remarquer maman, en nous montrant l'actrice sur le banc. Parce qu'être aussi bien coiffée alors qu'il y a du vent, c'est pas naturel.

Impossible de reconnaître l'actrice mais elle était très jolie, un peu comme maman mais en plus jeune et en plus belle.

– Elle est drôlement élégante ! a fait remarquer Victor.

J'avais l'impression de vivre un rêve. C'était la première fois que j'assistais à un tournage et j'étais fascinée. Moi, j'adore le cinéma, surtout quand c'est drôle. En général, si maman me recommande un film, je sais que je vais m'ennuyer. Elle n'aime que les films d'amour qui durent trois heures et qui finissent mal. Heureusement Scarlett relève

le niveau de la famille. Elle nous emmène voir tous les films d'action qui passent dans le cinéma d'à côté. Après, elle nous demande si on a bien compris l'histoire et elle vérifie en nous posant des questions.

– Allons, Scarlett, lui fait régulièrement remarquer Victor. On sait très bien que tu n'as rien compris et que tu veux qu'on t'explique.

Maman a désigné un camion sur lequel il y avait écrit LOGE.

– Vous voyez, elle nous a expliqué, là-dedans, il doit y avoir la star du film qui se fait maquiller et habiller. Si on attend, on la verra.

Et on s'est assis tous les trois. Casserole, insensible à la magie du cinéma, cherchait des trèfles dans le jardin.

C'est à ce moment-là que Georges a ouvert la fenêtre du salon.

– Il ne serait pas un peu l'heure de mettre la table, les enfants ?

Le monsieur qui dit « moteur » et « action » a tourné son fauteuil en direction de Georges et avec son porte-voix a crié :

– Silence, s'il vous plaît ! On tourne !

Georges a aussitôt refermé la fenêtre, mais en faisant le plus de bruit possible.

Au même moment, la porte du camion-loge s'est ouverte, et un acteur plutôt très vieux en est sorti.

– Non ! s'est écriée maman.

– Quoi, non ?

– Appelle Scarlett immédiatement et dis-lui de venir tout de suite, m'a ordonné maman.

J'ai téléphoné à ma grand-mère, ça avait l'air important. C'est ça qui est bien avec le téléphone portable, c'est utile pour les vraies urgences.

– Allô, Scarlett ! Il faut que tu viennes tout de suite. C'est maman qui l'a dit.

– Alors ? Elle arrive ? a fait maman dans un état second.

– Elle était en route pour le dîner. Elle sera là d'une minute à l'autre, j'ai expliqué sans quitter le tournage des yeux.

Effectivement Scarlett est arrivée presque aussitôt, en tailleur turquoise, avec un grand chapeau comme si elle allait à un mariage.

– Mais c'est un tournage ? elle a dit en regardant autour d'elle.

– Oui ! a confirmé maman. Et devine qui est la vedette !

– Pas possible ! s'est écriée Scarlett. Robert ! Robert !

Elle s'est élancée vers le vieil acteur, et le monsieur au porte-voix a tenté de s'interposer.

– Madame ! Arrêtez-vous ! Vous voyez bien que nous sommes en plein tournage !

– Mais enfin, monsieur, c'est Robert ! a protesté Scarlett, très énervée, en forçant le passage.

Là, j'ai eu l'impression d'être vraiment au cinéma et que la scène était jouée au ralenti. Le Robert en question a regardé d'où on l'appelait, a vu Scarlett, a lâché sa partenaire qu'il était en train d'embrasser sur le banc éclairé par les projecteurs et il a crié :

– Arlette ! C'est toi ? Impossible !

– Mais si, Robert, a répondu Scarlett en époussetant son tailleur turquoise et en ajustant sa capeline.

Il s'est précipité vers ma grand-mère et l'a embrassée sur les deux joues.

– Ça fait une éternité, dis donc !

– Allons ! Tu exagères toujours. C'était hier !

Maman, Victor, le metteur en scène et moi, on regardait la scène sans y croire. Robert et Scarlett se chuchotaient des choses à l'oreille et rigolaient ensemble comme s'ils avaient été de vieux amis.

scène 3

– J'étais sûre que ça lui ferait plaisir, a murmuré maman.

– On reprend ! a fini par hurler le réalisateur dans son porte-voix. Tout le monde en place ! Moteur ! Ça tourne !

Robert s'est rassis sur le banc et a entouré l'actrice de ses bras. L'actrice posait sur Robert un regard très appuyé et très amoureux. Comme on n'en voit qu'au cinéma justement. Ça a duré assez longtemps.

– Coupez ! a lancé enfin le metteur en scène.

– Ce n'est pas trop tôt, s'est exclamée Scarlett en s'asseyant à côté de son ami Robert. J'ai cru que tu ne la lâcherais jamais !

– Enfin Arlette, a répondu Robert d'une voix très douce, tu sais bien qu'elle ne t'arrive pas à la cheville !

Moi, j'étais très émue pour ma grand-mère. Elle avait dû rencontrer Robert il y a très longtemps, quand elle ne se faisait pas encore appeler Scarlett, et leurs retrouvailles faisaient plaisir à voir.

–Viens que je te présente, a dit Scarlett à

Robert. Voici ma fille, elle a ajouté en nous désignant, maman et moi.

Quand elle veut dissimuler son âge, Scarlett est la reine de l'ambiguïté. J'ai remis les choses au point.

– Bonjour, monsieur, je m'appelle Lucrèce et je suis la *petite-fille* d'Arlette, j'ai corrigé.

– Vraiment ? a fait Scarlett, en prenant l'air étonné. Que tu es grande, que le temps passe vite !

Maman a salué Robert en souriant.

– Vous êtes aussi jolie que votre mère, a dit ce dernier, flatteur.

– Bon ! je ne vous propose pas une tasse de thé, a dit le metteur en scène d'un ton pas très aimable.

– Une tasse de thé, pourquoi pas ? a répondu Scarlett.

– Madame, a repris le metteur en scène d'une voix trop douce pour être gentille, vous semblez connaître un petit peu le monde du cinéma, je ne vous apprends donc pas qu'en ce domaine, le temps c'est de l'argent.

Et sans attendre la réponse de Scarlett, il s'est mis à hurler dans son porte-voix :

– Figurants ! Action !

À ce moment précis, Georges est sorti de la maison, très énervé.

– Vous savez l'heure qu'il est ? J'ai faim, moi !

– Allons, Georges, a protesté Scarlett. Vous avez la chance de pouvoir assister à un tournage et vous ne pensez qu'à votre estomac ! Vous me décevez !

Le réalisateur a foncé droit sur Georges.

– Vous !

– Quoi, moi ?

– Suivez-moi. Vous avez exactement le physique de l'emploi.

– Le physique de quel emploi ? a répété Georges.

– Je cherchais un M. Tout-le-Monde. Je l'ai trouvé ! Et plus vrai que nature ! a dit le metteur en scène, ravi.

– Un M. Tout-le-Monde ? s'est écrié Georges, outré. Moi ? Non seulement vous envahissez mon espace sonore avec votre mégaphone, mais en plus vous vous permettez de m'insulter ?

Mais le metteur en scène l'avait déjà entraîné. Avant que Georges ait pu protester, il l'a coiffé d'un chapeau melon, lui a passé une gabardine et lui a donné l'ordre de marcher.

– Marcher ? Mais où ? Comment ? a bredouillé Georges.

– Eh bien… Marchez comme tous les jours, voilà, en regardant droit devant vous.

Georges s'est exécuté docilement. Avec ce chapeau et ce manteau, il ressemblait à

un gangster des films en noir et blanc qu'on regarde parfois le dimanche soir.

– Moteur ! Et… action !

Georges a traversé la rue, éclairé par des projecteurs. Il est passé devant le banc où Robert embrassait sa jeune fiancée puis il s'est éloigné du même pas tranquille.

Maman, Victor et moi, on retenait notre souffle.

– Coupez ! a hurlé le porte-voix. C'est parfait !

Georges a fait demi-tour et, toujours coiffé de son chapeau, s'est mêlé aux machinistes et aux figurants comme s'il avait fait du cinéma toute sa vie.

– Tu peux être fière de ton gendre, a dit maman à Scarlett avec un brin de fierté dans la voix.

– Ça ne lui va pas mal ! a confirmé Scarlett.

Robert a proposé qu'on dîne tous ensemble dans le camion-cantine.

Victor et moi, on était fous de joie. C'est comme si on était partis en vacances juste devant chez nous, mais encore plus loin que si on était allés au bord de la mer.

– Finalement, a décrété Georges, c'est sympathique, un tournage devant chez soi. Ça change de la routine et on se fait de nouveaux amis.

– Formidable, mon ami, vous étiez formidable ! l'a félicité le metteur en scène. Qu'est-ce que vous diriez si, demain, on tournait une scène d'intérieur dans votre jolie maison ?

– Si ma femme est d'accord, je n'y vois aucun inconvénient, s'est rengorgé Georges.

Je n'ai pas voulu le lui rappeler, mais il y a quelques heures seulement, il ne supportait pas l'idée qu'un tournage puisse l'empêcher de se garer à sa place habituelle...

Décidément, les acteurs sont des gens loufoques !

Le sport

– Maman ?

– Oui, Lulu.

– Coline joue au tennis, Aline fait du poney, Pauline de la danse, Eliott du judo…

– Et ? a dit maman.

– Et moi, je ne fais rien.

– Allons bon, a fait maman, l'air fatiguée. Je pensais que les deux heures de piscine hebdomadaire, le volley-ball et l'escalade au collège, c'était quand même un peu de sport ?

– Oui, mais non, j'ai répondu.

– Il va falloir que tu m'expliques ça, Lulu, a soupiré maman.

C'est épuisant, les adultes, quand ça ne veut pas comprendre. Le sport avec l'école, on ne le choisit pas vraiment. Moi, je veux décider.

– Parfait, a poursuivi maman. Réfléchis et on en parle ce soir.

Ça, c'est typique de maman. Elle gagne du temps. Par exemple, quand Noël approche, Georges lui demande systématiquement :

– Chérie, tu préfères qu'on parte chez mes parents le 24 et qu'on revienne le 27 ou alors qu'on parte le 23 et qu'on rentre le 26 ?

Je vois dans les yeux de maman qu'elle a

beau faire des calculs savants, ça fait trois jours dans les deux cas. Et trois jours avec les parents de Georges, pour maman, c'est trop.

Alors, elle répond :

– Je réfléchis, Georges, et je te dis ce soir.

Tout ça pour dire que maman, elle a de la technique quand il s'agit de ne pas répondre à une question qui l'ennuie.

J'ai fait mes devoirs, un peu vite c'est vrai, mais j'avais besoin de temps pour réfléchir.

J'ai passé en revue les différents sports dont j'avais entendu parler, soit par mes copains, soit à la télé quand, avec Georges, on regardait les jeux Olympiques très tard le soir à cause du décalage horaire. Georges s'endormait systématiquement, ce qui faisait dire à maman quand elle venait le réveiller :

– C'est épuisant, tout ce sport, mon chéri. Tu devrais reprendre une vie normale. Tu as plein de grilles de mots croisés en retard !

Georges a fini par nous avouer que, rien qu'en regardant l'aviron à la télé, il avait des courbatures partout. Il est loufoque, lui.

J'ai tellement réfléchi que je me suis endormie. J'avais sorti Madonna de son terrarium et elle s'était assoupie dans mon livre de français qui était posé par terre.

– Au moins, en voilà une qui se cultive, a dit maman en entrant dans ma chambre et en voyant Madonna entre deux fables de La Fontaine. Lulu ! Viens mettre la table, Scarlett ne va pas tarder et c'est toujours Victor qui s'y colle.

– Mais c'est normal, j'ai dit. D'abord, il est plus petit, et ensuite c'est un garçon !

Maman a rigolé.

Scarlett est arrivée un peu plus tard que d'habitude. Elle avait un imperméable imprimé léopard et Igor, son renard, autour du cou. Elle avait l'air très heureuse.

– Mes chéris ! J'ai passé une journée for-mi-da-ble ! Gérard m'a emmenée assister à une course automobile ! J'adore ce sport ! La vitesse, c'est grisant. Georges ! Servez-moi un verre. Il faut que je me remette de mes émotions.

Même si on est habitués, les enthousiasmes de Scarlett nous mettent toujours de bonne humeur.

– Justement, j'ai dit, je voudrais en choisir un que je garderai toute ma vie.

– Moi, ma Lulu, a dit Scarlett, je te conseillerais plutôt de n'être fidèle que trois ou quatre ans d'affilée. Après, tu changes et, hop ! c'est reparti !

– Mais maman, s'est énervée maman, tu parles de quoi exactement ?

– Des hommes, ma chérie. De quoi veux-tu que je parle ? s'est étonnée Scarlett.

– Mais tu es loufoque, toi, j'ai dit à ma grand-mère. Moi, je parlais d'un sport ! Je cherche un sport qui me plairait.

– Ah, alors là, Lulu, j'ai plein d'idées, a fait Scarlett en tendant son verre à Georges.

Georges ne disait rien. Quand il ne parle pas et qu'il a l'air absent, c'est qu'il pense aux trajets de ses avions. Je le connais. De toute façon, maman et Scarlett parlaient pour douze.

– Je crois, j'ai dit, que je vais essayer le foot !

Là, il y a eu un long silence.

– Le foot ? C'est-à-dire ? a demandé maman.

– Le foot, est intervenu Victor, c'est ce sport qui se joue à onze joueurs par équipe et un ballon. Le principe, c'est...

– Enfin, Victor, je sais ce qu'est le football, s'est écriée maman. J'étais juste un peu étonnée par le choix de Lulu. C'est un sport plutôt masculin, non ?

– Pas plus que de mettre la table systématiquement, a rétorqué Victor.

Le lendemain, je n'avais qu'une idée en tête : je voulais faire du football. Je me suis renseignée au collège, mais l'association sportive n'en proposait pas pour les filles. J'en ai parlé aux Lines qui m'ont demandé ce que maman avait mis la veille dans les lasagnes. Finalement, j'ai croisé Ruben dans la cour. Comme dirait Scarlett, *le hasard fait bien les choses* !

– Salut ! Tu aimes jouer au foot, je crois ? je lui ai demandé.

– Heu… Oui, bonjour, Lucrèce. Tout va bien ? m'a répondu gentiment Ruben. Ton sac a l'air plus lourd que toi !

C'est pas parce qu'il est plus vieux que moi qu'il faut qu'il me prenne pour une petite fragile.

– T'occupe pas de mon sac, j'ai rétorqué, presque vexée. Si tu joues au foot, j'aimerais bien venir avec toi pour voir, j'ai enchaîné, un peu essoufflée par l'émotion.

– Je joue tous les samedis. On a un entraînement au stade à côté du boulevard, pas loin de l'hippodrome. Viens si tu veux. Tu te mets dans les gradins, et tu regardes. Si ça te plaît et si tu

as une paire de baskets, je te montrerai comment on shoote dans un ballon.

J'ai fait semblant de réfléchir. C'est une technique de Scarlett. Mais j'ai été assez rapide dans ma réflexion, et j'ai tout de suite dit :

– D'accord. Je serai là.

– Je ne t'ai même pas dit à quelle heure, a rigolé Ruben en m'aidant à poser mon sac à dos au pied d'un arbre.

– Aucune importance, j'ai fait. Je me libérerai.

– Alors à demain ! m'a lancé Ruben. C'est à 15 heures, tous les samedis. Ne sois pas en retard, le coach n'aime pas que le public entre et sorte n'importe quand.

Et il a tourné les talons.

J'ai récupéré mon sac qui m'a semblé beaucoup plus léger. À vrai dire, s'il y avait eu un ballon là, sous mes pieds, je mettais le but du siècle ! Il est vraiment beau, Ruben.

Je suis rentrée à la maison avec Pauline, qui habite tout à côté de chez moi.

– T'es sérieuse, Lulu, quand tu parles de jouer au foot ?

– Ben oui, j'ai dit. Toi, tu fais bien de la danse classique.

Et on a parlé d'autre chose.

Le soir, j'ai mis la table sans que maman me le demande, j'ai même plié joliment les serviettes sur les assiettes.

Scarlett avait apporté des pistaches délicieuses.

– Savez-vous, Georges, que c'est très dangereux de prendre l'apéritif le ventre vide ? Heureusement que je suis là pour m'occuper de votre santé et de la mienne.

Et ma grand-mère a englouti une poignée de pistaches.

– J'ai une bonne nouvelle, j'ai annoncé.

– Aïe ! a fait maman. Je me disais aussi que les serviettes pliées en fleurs allaient me coûter un équipement de sport. Reste à savoir si ce sera un tutu, un pantalon d'équitation ou un kimono.

– Rien de tout ça, j'ai dit. Juste des baskets. Pour les chaussures à crampons, on verra plus tard.

– Mais c'est formidable, ma chérie ! s'est exclamée Scarlett. Les footballeurs sont des gens merveilleux.

– Et tellement cultivés ! a grogné maman.

L'apéritif a duré longtemps parce qu'il y avait beaucoup de pistaches et que Georges s'est souvenu qu'il restait aussi des noix de cajou dans le tiroir de son bureau.

– Et si le coach me trouve au niveau quand Ruben me fera shooter dans le ballon, il m'inscrira à l'entraînement du samedi.

– Le quoi ? a demandé maman.

– Le *coach* ! a expliqué Victor. Comme dans la fable de La Fontaine, *La Mouche du coach.* Tu sais bien, maman, je l'ai apprise au début de l'année.

– Je vois, a dit maman. Toi, niveau culture, tu ferais un parfait footballeur.

Le lendemain matin, Georges m'a emmenée acheter des baskets neuves. Je les ai choisies roses, avec des étoiles filantes sur les côtés. J'aime bien faire des courses avec mon beau-père.

En début d'après-midi, maman m'a déposée devant le stade. Enfin, devant… je me comprends : un peu avant l'angle. Pas question qu'on me voie descendre de la voiture de ma mère.

J'étais très à l'heure, même plutôt en avance.

Ruben était déjà dans le stade, il s'échauffait

sous la surveillance du fameux coach. Ils avaient tous le même maillot, ça faisait vraiment équipe.

Je me suis assise dans les gradins, je lui ai fait un petit signe de la main. Il m'a répondu par un clin d'œil. J'étais très fière.

Après l'entraînement, je l'ai rejoint sur la pelouse.

–Viens, je vais te présenter à M. Aimé, l'entraîneur, qui porte bien son nom : on l'adore.

J'étais très intimidée. Le coach m'a tendu la main en souriant.

– Alors, il a fait, une nouvelle recrue ?

– Heu... Oui... Je ne sais pas... Peut-être, j'ai bredouillé.

– Mets tes chaussures, et viens essayer, m'a proposé gentiment Ruben.

– Heu... La prochaine fois, j'ai dit. Mais j'ai adoré vous regarder. Tu veux boire un jus d'orange avec moi ? j'ai demandé à Ruben.

– Avec plaisir, Lulu.

Et puis on est rentrés en bus. Ruben prenait la même ligne que moi. Il descendait juste après.

– Alors, ça t'a vraiment plu ?

– Oh oui ! J'ai adoré. Le truc, c'est qu'il ne faut pas se tromper de but !

–Voilà, là on peut dire que tu as compris la base du jeu, a rigolé Ruben.

Le samedi à la maison, il y a tout le monde. C'était la fin d'après-midi et j'étais sur un nuage. Dans le salon, maman lisait un magazine,

Georges somnolait sur ses mots croisés et Victor changeait les piles de l'une des manettes de son jeu vidéo. Scarlett, elle, faisait une réussite qui n'avait pas l'air de réussir en tirant très fort sur sa cigarette électronique. Depuis qu'elle a arrêté de fumer, il y a une odeur de fête foraine à la maison.

– C'est normal, Lulu, elle explique. J'ai choisi le parfum « Pomme d'amour ».

– Alors, mon poussin ? s'est écriée maman quand je suis entrée. C'était comment, le foot ?

– Génial, j'ai dit.

– Mais encore ? a insisté maman.

– Merveilleux ! Si tu savais comme il est beau…

– Qui donc ? a sursauté Georges. Le ballon ?

– Mais non ! T'es loufoque, toi ! Je parle de Ruben !

Ils se sont tous regardés. Scarlett a abandonné sa réussite pour venir s'asseoir à côté de moi.

– Tu as au moins essayé de jouer, Lulu ? m'a demandé Victor.

– Non, pas cette fois.

– Qu'est-ce que tu as fait alors pendant tout ce temps ? s'est inquiétée maman.

– J'ai regardé Ruben. Et après, on est allés boire un jus d'orange à la buvette du stade. Et il m'a même offert un pain au chocolat.

– Un pain au chocolat ? s'est exclamée Scarlett en prenant une bouffée de pomme d'amour. Lulu, je ne sais pas si tu seras footballeuse un jour, mais je te prédis une grande carrière de femme de footballeur !

Je n'y avais pas pensé, mais je crois que ça me plairait ! Ce serait moins fatigant que de courir après le ballon, et surtout ce serait moins salissant pour mes baskets toutes neuves.

Le voyage scolaire

– Les enfants, nous a dit M. Rimbaud, le prof de français, j'ai une grande nouvelle à vous annoncer. La semaine prochaine, nous allons faire un voyage tous ensemble, avec l'accord de M. le proviseur.

– Un voyage ? s'est exclamé Eliott. On va prendre l'avion, alors ?

– Heu… On se calme, Eliott ! a rigolé M. Rimbaud. C'est un voyage scolaire. On va plutôt prendre un car. Vous, les petits citadins, allez avoir la chance formidable de découvrir la vie rurale.

– La vie quoi, monsieur ? a demandé Aline.

– La vie rurale, Aline. « Rurale » est un mot qui vient du latin *rus*, qui veut dire « la campagne ».

– Ah ! s'est exclamé Joseph, j'avais entendu « rue râle », comme une rue qui râle ! Et je comprenais pas bien.

M. Rimbaud l'a regardé et s'est assis sur son bureau, l'air fatigué tout à coup.

– Avec votre professeur de SVT, nous vous emmenons visiter une ferme.

– Une ferme ? s'est étonnée Pauline. Mais pourquoi ?

– Pour mieux apprécier la pollution et les embouteillages quand on rentrera, a répondu le prof de français pour rigoler mais avec un ton qui ne nous donnait pas très envie de rire.

Moi, j'étais vraiment heureuse de passer deux jours avec mes copains. La campagne, ce n'est pas ce que j'aurais choisi en premier, mais à part Joseph, qui n'est jamais content, on était tous très agités.

La veille du départ, Georges nous a fait sa recette de spaghettis. Scarlett avait apporté un gâteau, et maman m'a offert un cadeau : un tee-shirt avec des lapins dessus.

– Merci, maman ! Je le mettrai à la ferme.

– Des lapins, il n'y en a pas qu'à la ferme, a protesté Victor. Casserole par exemple, c'est un lapin de la ville. Il adore les trottoirs, les voitures, les…

– Ça va, Victor, j'ai dit, on a compris! Et puis, depuis que tu l'as tondu, Casserole ressemble à un rat.

– Un rat ? s'est insurgé Victor. Tu veux que je te dise à quoi elle ressemble, Madonna ? Elle ressemble à un animal préhistorique nain !

Au moment où j'allais lui répondre qu'il n'y avait qu'un seul nain dans cette maison, maman nous a interrompus :

– Bon, les enfants, si on dînait ? Il ne faudrait pas que Lulu se couche trop tard.

Finalement, j'ai compris qu'ils étaient tous les quatre un peu perturbés que je parte le lendemain.

C'était mon premier voyage scolaire. J'ai eu un mal fou à m'endormir, et le même mal à me réveiller.

– Lulu ! il est l'heure !

La voix de Georges me parvenait de loin, de très loin. Je me suis habillée en quatrième vitesse. Heureusement, mon sac était prêt. Je l'avais fait et défait une bonne dizaine de fois.

– Bonjour, maman ! j'ai lancé joyeusement en déboulant dans la cuisine.

– Bonjour, mon poussin, a articulé maman.

Elle était en pyjama, avec l'air de quelqu'un qui se réveille sur un autre continent, en plein décalage horaire.

J'étais tellement heureuse de passer deux jours avec mes copains que je n'avais pas très faim.

– Maman, tu es responsable de Madonna

pendant mon absence. Comme elle risque d'avoir le cafard, n'oublie pas de lui acheter des tomates cerises !

– Des tomates cerises? Pourquoi pas du homard? a répondu maman qui regardait son bol de café comme si elle ne l'avait jamais vu.

– Allez, Lulu, on y va, a annoncé Georges qui avait déjà son manteau sur le dos.

– Déjà? s'est soudainement réveillée maman. C'est l'heure?

– Courage, j'ai dit en rigolant. Si les lapins ne m'attaquent pas, je serai de retour demain soir.

Maman m'a embrassée longuement. Elle

avait même des larmes plein les yeux tellement elle était fatiguée.

– Allons, Lulu, m'a dit Georges dans la voiture, d'une voix rauque. Courage, toi aussi. Deux journées et une nuit, ça passe vite, tu sais.

– T'es loufoque, toi, j'ai dit. Ce n'est pas comme si je partais pour un an à l'autre bout du monde !

Il s'est garé à une rue du collège. Il a sorti mon sac du coffre, a ébouriffé ma natte, comme quand il n'a plus de mots à sa disposition.

– Georges, je te confie maman, j'ai dit en l'embrassant. Elle avait l'air drôlement fatiguée tout à l'heure.

– Ne t'inquiète pas, Lulu. Amuse-toi. Ce soir, je vais l'inviter au restaurant avec Scarlett et Victor.

– Au restaurant, sans moi ?

Georges a souri. J'aime bien quand il sourit. J'ai l'impression que rien ne peut nous arriver.

Et j'ai couru, légère, vers le car qui nous attendait.

Les Lines étaient déjà là.

Dans le car, le prof de SVT a pris un micro.

– Bonjour, les enfants. Je vous félicite, tout le monde est à l'heure. Prendre le car semble plus motivant pour se lever qu'aller au collège !

Et il a rigolé dans son micro. Moi, je n'aime pas trop les gens qui rient de leurs propres blagues. C'est une façon de signaler au monde qu'ils sont drôles.

Le voyage est passé très vite. Avec les Lines, on a écouté de la musique avec deux écouteurs pour quatre, ce qui suffit amplement. Eliott et Augustin ont fait des grimaces aux automobilistes et Joseph a expliqué à Rose les meilleures ouvertures aux échecs. Ils étaient juste devant Coline et moi.

– Rose, écoute ça : e4, e6, d4, f6, e5 et toc ! C'est pas génial ?

– Si, Joseph, c'est merveilleux.

Nous, on rigolait derrière. On sait bien que Rose est amoureuse de Joseph.

À l'heure du déjeuner, après avoir roulé sur des petites routes, on s'est enfin arrêtés devant un portail grand ouvert.

J'étais contente d'être arrivée. On s'est tous précipités en même temps pour descendre du car.

Au bout d'une allée, il y avait une magnifique maison en pierre. On n'avait pas seulement changé de région, on avait aussi changé de siècle.

Deux dames nous attendaient sur le seuil.

– Bienvenue, les enfants ! Je m'appelle Marinette, a dit l'une.

– Et moi, je suis Delphine, a dit l'autre dame en caressant un chien.

On est entrés dans une grande salle. Au milieu trônait une table en bois sur laquelle étaient disposés des gâteaux et des jus de fruits. Au plafond, il y avait des poutres, sur les murs on voyait les pierres.

– Allons, ne soyez pas timides, a rigolé Marinette comme on n'osait pas s'approcher. Le jus d'orange et les biscuits vont vous redonner des couleurs !

Les profs devaient être drôlement pâles parce qu'ils se sont précipités sur le buffet.

– Ils sont bien calmes, ces enfants, s'est étonnée Delphine.

– C'est le voyage en car qui a dû les chambouler, a précisé M. Rimbaud entre deux biscuits, parce qu'en temps normal...

– Quand vous aurez fini, suivez-moi, a proposé Marinette. Je vais vous montrer vos chambres.

On a emprunté un grand escalier dont les marches grinçaient.

– Au premier étage, ce sont les chambres des garçons. Le deuxième étage est réservé aux filles parce qu'il est plus confortable. Et au troisième, on met les professeurs parce qu'il y a une chauve-souris, des mulots et quelques fantômes, a souri Marinette.

On était quatre par chambre. On voyait que les sœurs avaient l'habitude de recevoir des enfants : les lits étaient alignés les uns à côté des autres, comme dans le conte de *Boucle d'Or*. Sur les lits, des édredons à fleurs assortis

à des oreillers de couleur donnaient envie de se coucher tout de suite.

– Installez-vous et je vous fais visiter la ferme après.

Évidemment, pour nous la répartition des chambres était toute trouvée : les Lines et moi, ça fait quatre. On a bien l'intention d'en profiter jusqu'au bout de la nuit.

Dans la cour de la ferme, on entendait les poules. On est redescendues en courant et Marinette nous a montré le cheval, l'étable avec les vaches et le coin des lapins.

Ensuite, quand toute la classe a été rassemblée, elle nous a appris comment traire une vache. On a essayé chacun à notre tour, et c'est très impressionnant. Pauline était terrifiée. Moi, je m'en suis bien sortie. M. Rimbaud, lui, donnait l'impression d'avoir fait ça toute sa vie. Le prof de SVT, en revanche, était moins à l'aise.

– Maintenant, qui veut goûter le lait que vous venez de traire ? a demandé Marinette.

– Moi, moi ! on a tous répondu.

Elle nous a distribué une tasse à chacun.

– Je préfère le vrai lait, a grimacé Aline en faisant une drôle de tête.

– Qu'est-ce que tu appelles du *vrai* lait ? s'est étonnée Marinette.

– Ben, celui dans les bouteilles en plastique…

– Je vois ! Mais celui-ci, il est allé directement du producteur au consommateur, a rigolé Marinette.

Ensuite, elles nous ont montré comment ramasser les œufs. Rose n'a pas osé entrer dans le poulailler.

– J'ai peur que les poules me mordent, elle a articulé.

Delphine et Marinette ont souri en la prenant par la main.

– Viens ! Tu ne crains rien.

Ensuite, on a pu aller dans nos chambres. J'étais fatiguée et un peu étourdie par tous ces animaux. J'avais l'impression d'avoir fait un très long voyage. On s'est effondrées sur les lits. Et je crois que je me suis endormie, parce que j'ai été brusquement réveillée par un tintement.

On s'est toutes penchées à la fenêtre et on a vu les deux sœurs qui sonnaient la cloche à tour de rôle.

– Ça doit être l'heure du dîner, a suggéré Coline qui a toujours faim.

On a retrouvé toute la classe dans la grande salle aux murs de pierres. Les assiettes étaient pleines d'une soupe qui fumait. Le chien dormait près de la cheminée.

Le dîner était très bon. Les deux sœurs avaient plein d'histoires à raconter sur la vie de la ferme et sur leur enfance qu'elles avaient passée ici. Moi, je les aurais écoutées toute la nuit mais M. Rimbaud a donné le signal du coucher.

– Demain, il a précisé, lever au chant du coq ! C'est une grosse journée qui nous attend.

On est tous montés en râlant. Je crois qu'on n'avait pas réalisé que le coq chantait vraiment très tôt. Le jour n'était pas encore levé quand il s'est égosillé dans la cour. Voilà encore un animal qu'il ne faudra pas que j'offre à maman !

Quand on est descendus, la table du petit déjeuner était mise. Il y avait des œufs brouillés et du pain grillé qui sentait très bon.

– Bonjour, les enfants ! a dit Marinette. Bien dormi ?

Ça oui ! Moi, j'avais dormi d'un autre sommeil

que celui de tous les jours, plus profond. Avec les Lines, on n'a même pas eu le temps de se souhaiter bonne nuit !

–Vos professeurs ne sont pas réveillés ? s'est étonnée Delphine.

– C'est l'air de la campagne, a plaisanté Marinette. Ah ! Ces gens des villes, quelles petites natures !

Finalement, ils sont arrivés. C'était drôle de prendre notre petit déjeuner avec nos profs. Le prof de SVT bâillait au-dessus de son bol et M. Rimbaud nous regardait comme s'il nous découvrait.

– Il faut manger le matin, monsieur, a recommandé Eliott en le voyant refuser les œufs brouillés.

– Merci, merci, Eliott. Mais je vais plutôt aller m'en griller une.

– Une tartine ? s'est étonné Coline. Mais il y en a plein la corbeille !

– Heu non, a bredouillé le prof de français un peu gêné. Une cigarette, pas une tartine !

– C'est pas bien de fumer, monsieur, a fait remarquer Eliott.

La matinée a été formidable. On est montés dans une carriole tirée par un cheval qui s'appelait Jupiter. Après, on a récolté des radis, j'ai adoré toucher la terre, on a nourri les lapins, nettoyé le poulailler, remis de la paille dans l'étable, cueilli des abricots qui étaient aussi juteux que sucrés, et pour finir, donné à boire à Jupiter.

– Pour finir ? Ah non, a dit Marinette avec un grand sourire. Si vous voulez déjeuner, il faut encore nous aider à ramasser les pommes de terre.

– Dans quel arbre ? a demandé Joseph.

On a tous rigolé, sauf Rose qui n'aime pas qu'on se moque de Joseph.

Le déjeuner était très bon. Je n'avais jamais mangé de meilleures pommes de terre sautées de toute ma vie.

– Monsieur? a dit Eliott au prof de français. Franchement, je trouve ça dommage.

– Qu'est-ce que tu trouves dommage, Eliott? s'est inquiété M. Rimbaud.

– Votre nom de famille. À une lettre près, vous aviez le même nom qu'un homme célèbre.

– Tu penses à un poète, Eliott?

– Ben non : à Rambo!

– Je vois, a soupiré M. Rimbaud. Il y a encore du chemin à faire en français…

– À propos de chemin, est intervenu le prof de SVT, allez vite rassembler vos affaires et ranger vos chambres. Le car vient nous récupérer dans une heure.

On était tous tristes de quitter la ferme de Delphine et Marinette, et quand on est montés dans le car, il m'a semblé entendre le chien nous souhaiter bonne route!

Le voyage de retour a été plus silencieux que l'aller. Ceux qui ne dormaient pas devaient rêver à ce que nous venions de vivre.

C'est maman qui m'attendait à l'arrivée.

– Lucrèce ! Mon amour ! Comme tu m'as manqué !

– Toi aussi, maman, tu m'as manqué, j'ai dit. Mais je préférerais qu'on s'embrasse plutôt à la maison.

Maman a rigolé mais elle avait les yeux qui brillaient.

– Alors mon poussin, m'a demandé maman, à peine assise dans la voiture, tu t'es amusée ?

– Oui, c'était génial ! Je crois que j'ai vécu les deux plus beaux jours de ma vie.

J'étais heureuse de retrouver Madonna qui dormait entre deux quarts de tomate cerise. Sous l'œil méfiant de Victor, j'ai même caressé Casserole, en lui disant que j'avais vu ses cousins de la ferme.

Puis la sonnette a retenti, c'était Scarlett, comme tous les soirs à la même heure.

– Lulu ! Lulu ? Tu es rentrée, ma chérie ?

– Oui, Scarlett ! J'arrive.

– Alors, la campagne, pas trop horrible ? Moi, ça m'angoisse ! Tous ces animaux qui vous harcèlent sans cesse !

– Tu dis n'importe quoi, Scarlett, je lui ai répondu. C'était merveilleux ! D'ailleurs, plus tard, j'aurai un cheval comme Jupiter.

– Ah, Jupiter..., a soupiré Scarlett. Voilà un prénom qui résonne à mon cœur... Un ancien fiancé, un peu plus jeune que moi, qui rêvait de pouvoir. Je t'en ai déjà parlé, Lulu ?

Et ce soir-là, en m'endormant, j'ai repensé à ce voyage, à Delphine et Marinette et aux histoires qu'elles nous ont racontées. Un jour, ce serait bien qu'elles en fassent un livre.

Mémoires

Demain, c'est l'anniversaire de papa. En général, je vais chez lui et il m'invite dans un restaurant que je choisis. On déjeune tous les deux. Il n'y a ni maman ni sa fiancée du moment, qui n'est en général pas la même d'un anniversaire à l'autre. J'adore être seule avec lui. On discute. Il ne me considère pas comme une enfant, ni d'ailleurs comme une ado. Je suis Lucrèce.

– Tu es le seul amour de ma vie, Lulu !

– Je sais, papa. Toi aussi… pour le moment.

– Merci, ma Lulu ! Tu as ta vie à faire. Un jour, tu tomberas amoureuse, tu te marieras, tu auras des enfants…

– Et tu seras grand-père !

– Heu... Bon ! C'est vrai, tu es encore un peu jeune pour penser à tout ça, et moi aussi, rigole papa.

Mais, cette fois, exceptionnellement, maman a insisté pour que ce soit papa qui vienne à la maison.

– Il change de dizaine, elle a expliqué. Il va avoir cinquante ans. Ça se fête ! Et on va lui faire la surprise d'inviter Boubé.

Boubé, c'est mon autre grand-mère. Elle s'appelle Hanna et elle vit assez loin de chez nous, à presque deux heures de voiture. Papa va la voir toutes les semaines, moi, je lui rends visite chaque mois. Je l'aime beaucoup, Boubé. Elle ne me reconnaît pas toujours, enfin même presque jamais, mais à chaque fois elle est heureuse de me rencontrer.

Et c'est Georges qui a prévu d'aller chercher Boubé.

– Mon chéri, lui a répété maman pour la centième fois, tu as l'adresse, tu sonnes, tu montes. La personne qui s'occupe d'Hanna est prévenue. Tu conduis prudemment, et tu ramènes ma belle-mère à la maison.

– Ton *ex*-belle-mère, chérie, a rectifié Georges qui aime bien quand les choses sont précises.

– Si tu veux. En attendant, ne sois pas en retard.

– À vos ordres, mon commandant, a rigolé Georges en faisant un salut militaire.

– Son fils la reconduira chez elle après le déjeuner, a ajouté maman.

Scarlett aussi aime bien Boubé. Mais Boubé n'a jamais vraiment compris qui était Scarlett.

Il faut dire qu'entre son changement de prénom,

de couleur de cheveux et même de mari, Scarlett ne fait rien pour aider la mémoire de Boubé.

Maman n'est pas très bonne cuisinière et, comme Georges sera en voiture, pour que ce soit parfait pour l'anniversaire de papa, elle a tout acheté chez un traiteur et Scarlett se charge du gâteau.

Victor et moi, on a décoré la maison. Il y a des guirlandes qui restent de Noël, et maman a ressorti un tableau qu'a fait papa et que Georges n'aime pas trop. Il représente un triangle rouge qui attaque un cercle blanc.

– Et si on invitait aussi la fiancée de papa? j'ai suggéré.

– Laquelle ? m'a demandé maman.

– Eh bien, la dernière. L'année prochaine, on invitera la suivante.

Mais maman n'a pas voulu. Elle préfère qu'on reste en famille.

Victor et moi, on a mis la table, avec les beaux couverts et les jolies assiettes.

À midi pile, Georges et Boubé sont arrivés. Boubé est âgée mais elle se porte encore très bien. Elle a juste eu un peu de mal à sortir de la voiture. Avec Victor, on est allés l'accueillir.

– Boubé ! je me suis écriée en l'embrassant.

– Bonjour, mon petit chat. C'est fou ce que tu ressembles à ma petite-fille.

– Mais c'est moi, Boubé, j'ai rigolé. Lucrèce !

– Bonjour, petit garçon, a dit Boubé en se tournant vers Victor. Vous êtes un ami de la famille ?

– Heu, non, a répondu Victor. Je suis le frère de votre petite-fille. On s'est vus il n'y a pas si longtemps. Je m'appelle Victor.

– Comme c'est joli, Victor ! Moi, je m'appelle… Je m'appelle…

– Hanna ! Quel plaisir de vous avoir avec nous ! s'est exclamée maman en embrassant Boubé. Venez donc vous asseoir.

Boubé et maman sont entrées dans la maison. Il faisait un temps magnifique, on aurait pu rester dans le jardin, mais maman a eu peur que Boubé ait trop chaud.

– Lulu, va chercher un peu d'eau pour ta grand-mère, m'a demandé maman.

– Et qui est cette exquise jeune personne ? lui a demandé Boubé quand je lui ai tendu son verre.

– Je suis Lucrèce, Boubé, ta petite-fille !

– Mais bien sûr, a souri ma grand-mère. Comment ai-je pu t'oublier, mon trésor ?

Papa est arrivé à ce moment-là, suivi de près par Scarlett.

Il a marqué un temps d'arrêt en nous voyant tous rassemblés. Puis il a remis les lunettes de soleil qu'il venait d'enlever. À mon avis, il était drôlement ému, mais à cinquante ans, il s'est peut-être dit qu'il ne pouvait pas pleurer.

– Maman ! Quelle bonne surprise ! Rien ne pouvait me faire plus plaisir ! Comme je suis content que tu sois là. Tu te rends compte ? Cinquante ans déjà !

– Nous n'avons pas été présentés, je crois, lui a répondu Boubé avec son plus beau sourire.

Papa a rigolé et il a embrassé tendrement sa mère. Il a rigolé mais je suppose que ça doit quand même lui faire un peu de peine.

Il a serré la main de Georges, a fait un baisemain à Scarlett, un clin d'œil à maman et a ébouriffé les cheveux de Victor.

Et moi, moi il m'a prise dans ses bras comme quand j'étais petite.

Georges et papa s'entendent vraiment bien. Ils sont pourtant très différents. Papa est un artiste, et Georges, un scientifique. Papa vit dans les nuages, Georges passe ses journées à les scruter pour guider les avions.

On est enfin passés à table. Le repas était très gai. Un peu grâce à Scarlett qui avait apporté une bouteille de vodka pour Boubé.

– Allons, Hanna ! À la vie ! a dit Scarlett en remplissant leurs verres.

Boubé a fait honneur au déjeuner. Elle a beaucoup parlé de son enfance et de ses parents.

– Mon père était l'instituteur du village. Il était merveilleux. Et puis, on a dû partir…

– Partir d'où pour aller où ? a demandé Victor.

– Partir de là-bas pour venir ici, a répondu Boubé, énigmatique.

Quand le gâteau est arrivé, papa n'a pas eu le temps de camoufler ses larmes.

– Merci ! il a bredouillé. Je vous aime tous.

– Comme votre mère doit être fière de vous ! lui a dit Boubé.

Et puis elle a éclaté de rire en nous précisant, avec cet accent qui roule les *r* :

– C'est vrai que j'ai des absences. Mais comment pourrais-je oublier l'anniversaire du plus beau jour de ma vie : celui qui a vu naître mon fils adoré ?

On a tous applaudi. Puis je me suis levée et j'ai annoncé :

– Papa, j'ai une surprise pour toi. C'est mon cadeau. Je l'ai fait toute seule.

Georges, maman et Scarlett m'ont regardée, étonnés.

– T'as appris un tour à Madonna? a rigolé Victor.

– Pas du tout. J'ai écrit mes Mémoires et je vais vous les lire.

– Mais c'est merveilleux, ça! s'est exclamée Boubé. Toi, tu écris tes Mémoires, et moi, je perds la mienne. On était faites pour se rencontrer. Comment t'appelles-tu déjà?

J'ai alors sorti un cahier que je tenais caché depuis le début du déjeuner et j'ai commencé à lire, en prenant une voix sérieuse. Mon cœur battait drôlement vite.

« Je m'appelle Lucrèce. Je suis née il y a longtemps mais pas tant que ça. Je ne me souviens pas très bien de la vie avec mon papa et ma maman dans la même maison. Mais ce n'est pas grave. Ce qui compte, ce ne sont pas les souvenirs mais la façon dont on les revit. Maman est tombée amoureuse de Georges. Et puis, Victor est arrivé. Au début, je ne l'aimais pas, j'ai même suggéré à maman de le donner aux voisins, mais elle n'a pas voulu. Aujourd'hui, s'il n'était pas là, il me manquerait, mais je préfère ne pas trop lui dire.

Je suis heureuse d'être l'aînée et de ne pas être un garçon. En plus, même si j'ai un frère, je suis fille unique parce que mon papa n'a que moi comme enfant.

Je n'ai jamais rencontré Scarlett parce que je l'ai toujours connue. C'est loufoque mais c'est comme ça ! Scarlett, c'est un drôle de personnage... Je ne pourrais pas vivre sans elle. Et à mon avis, elle non plus ne pourrait pas vivre sans moi.

Je suis très fière de ma maman. Elle défend des gens et dit qu'elle ne se préoccupe pas de savoir s'ils sont coupables ou innocents. Mais Victor et moi, quand on lui cache une mauvaise note, elle nous explique qu'il faut toujours dire la vérité. Je fais tout pour ne pas la décevoir. Plus tard, je voudrais lui ressembler, mais en mieux.

Georges est souvent dans la lune, mais quand j'ai besoin de lui, il est vraiment là. Georges est

l'homme le plus solide de ma vie. Il ne me dit pas qu'il m'aime parce qu'il me le prouve tous les jours.

Mon papa, lui, est un artiste. Il sculpte, il peint, il rassemble, il empile. Parfois il dit même qu'il "déconstruit". Comme je ne comprends pas exactement ce qu'il fait, ça me permet de l'inventer. Pour le moment, il est l'homme que j'aime le plus au monde.

Quand je serai vieille, je voudrais avoir le sourire et la douceur de Boubé. Je sais que, pour l'accent, ça ne sera pas possible, mais je vais m'entraîner à l'imiter pour qu'on s'en souvienne toujours et que cet accent ne se perde pas. Tous les ans, j'écrirai mes Mémoires de l'année écoulée. Comme ça, si plus tard je ne me rappelle plus rien, je n'aurai qu'à me relire.

Dans ma vie, il y a aussi les Lines. On se dispute parfois, mais, très vite, on ne sait plus pourquoi.

J'ai une chambre pour moi toute seule et je ne la quitterai jamais, sauf un jour, plus tard. J'aime beaucoup mon enfance, mais parfois, je sens qu'elle est derrière moi.»

Et je me suis arrêtée de lire parce que j'avais fini mes Mémoires.

Il y a eu un grand silence et tout le monde a applaudi longtemps. Maman s'est essuyé les yeux comme quand elle croit qu'on ne voit pas

qu'elle pleure. Boubé a levé son verre, et Scarlett le lui a rempli.

Et une nouvelle fois, ensemble, mes deux grands-mères ont dit :

– À la vie !

Georges s'est levé pour ébouriffer ma tresse. Quand il fait ça, c'est qu'il n'a plus de mots pour dire « je t'aime ».

Quant à papa, il m'a prise dans ses bras et m'a dit qu'il était fier de moi.

– Et maintenant, a dit maman en donnant un paquet à papa, voici notre cadeau.

– Mon plus beau cadeau, c'est de vous voir tous réunis ici ! a déclaré papa, solennel.

– Allez, ouvre ! a dit Victor qui s'impatientait.

– Mais c'est un appareil photo ! il s'est exclamé tout joyeux.

– Oui, a expliqué Georges. Ce genre de gadget revient à la mode. C'est un instantané. Vous prenez la photo et, clac ! elle sort tout de suite. Au bout de quelques minutes, elle est développée.

– Oh ! quelle bonne idée ! Alors je crois que la première photo s'impose, ici et maintenant, a poursuivi papa. Je vois qu'il y a une fonction qui permet à l'appareil de se déclencher tout seul. On peut donc tous être sur la photo.

On s'est rassemblés autour de Boubé.

– Stop ! a crié Victor. On arrête tout ! Je reviens.

Il a monté l'escalier quatre à quatre puis est redescendu avec Casserole dans une main et Madonna dans l'autre.

– Voilà, maintenant on est au complet, il a dit, fier de son initiative.

Papa a posé l'appareil sur une étagère, on a tous souri, l'appareil a tiré la langue, et la photo est sortie.

Papa a pris la photo et l'a scotchée sur mon cahier de Mémoires.

– Regarde, Lulu. Avec une telle couverture, tes Mémoires ont l'air d'un vrai livre. Il n'y a plus qu'à lui trouver un titre !

– *Le Monde de Victor* ? a tenté mon frère.

– Ou *L'Univers de Scarlett* ? a osé ma grand-mère, qui, décidément, ne recule devant rien.

Mais c'est Boubé qui a trouvé :

– On va appeler ce livre *Les Mémoires de Lucrèce*. Et qui sait, ça pourrait même se vendre !

– Ben non, a conclu Victor. Il y a déjà *Les Mémoires d'un âne*, on pourrait confondre !

Et il est parti en faisant hi-han !

Ils sont vraiment loufoques dans ma famille ! Mais si je devais les inventer, je ne changerais rien à la réalité !

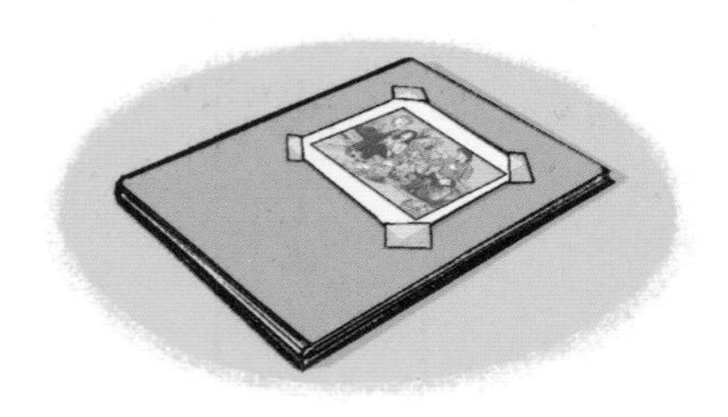

Table

Retrouvez Lucrèce
dans de nouvelles aventures

Extrait

“ Ma maison fait partie de moi. Je n’en ai jamais connu d’autre. Mes parents y habitaient et puis, quand Georges est arrivé dans la vie de maman, elle n’a pas déménagé.

À la naissance de Victor, Scarlett s’est installée tout près de chez nous.

La connaissant, elle a dû dire un truc comme :

– Mes chéris, je me rapproche de vous pour pouvoir venir m'occuper de mes petits-enfants.

Et maman a dû penser : « Dans pas très longtemps, ce sont tes petits-enfants qui te surveilleront ! »

Ce quartier, c'est le mien. J'aime bien ce mot, « quartier ». Il dit parfaitement ce que je ressens. Si je devais partir d'ici, je laisserais au moins le quart de moi.

Tous les commerçants me connaissent, surtout la boulangère à cause des bonbons.

Même si, depuis que je suis grande, je préfère manger des légumes, il m'arrive d'acheter par hasard un ou deux sachets de bonbons. J'aime bien ceux en forme de fraise, et aussi les nounours en guimauve.

Je vais souvent acheter le journal de Georges, le monsieur du kiosque me connaît bien. Il m'appelle Lulu. Un jour, il m'a dit :

– Lucienne, c'est pas trop dur à porter comme prénom pour une fille de ton âge ?

Il est loufoque, lui. Jamais mes parents n'auraient choisi un prénom compliqué.

Quand j'ai eu Madonna, je suis allée la présenter à tout le quartier. Et parfois, l'épicier me garde des tomates cerises pour ma tortue, tellement il la trouve jolie. Décidément, Madonna ne laisse personne indifférent.

Ce matin, alors que je mettais mon blouson pour partir au collège, Georges m'a dit que, pour le dîner, il nous emmenait au restaurant, maman, Victor, Scarlett et moi.

– Mais on n'est même pas samedi, je me suis étonnée.

– Je sais, il a fait. Mais j'ai quelque chose à vous annoncer. »

À paraître en octobre 2019

Anne Goscinny

Le Bureau des solitudes, roman, Grasset, 2002

Le Voleur de mère, roman, Grasset, 2004

Le Père éternel, roman, Grasset, 2006

Le Banc des soupirs, roman, Grasset, 2011

Le Bruit des clefs, récit, Nil, 2012

Le Sommeil le plus doux, roman, Grasset, 2016

Sous tes baisers, roman, Grasset, 2017

Le Monde de Lucrèce, volumes 1 et 2, Gallimard Jeunesse, 2018

Catel

POUR LA JEUNESSE

Top linotte, Fleurus presse et Dupuis, 2008-2018

Marion & Cie, avec Fanny Joly, Bayard Presse
et Gallimard Jeunesse, 2000-2018

L'Encyclo des filles, avec Sonia Feertchack, Gründ,
2001-2017

Le Monde de Lucrèce, volumes 1 et 2, Gallimard Jeunesse, 2018

POUR LES ADULTES

Kiki de Montparnasse, avec José-Louis Bocquet,
Casterman, 2007

Olympe de Gouges, avec José-Louis Bocquet, Casterman, 2012

Quatuor, avec José-Louis Bocquet, Thierry Bellefroid,
Jacques Gamblin et Pascal Quignard, Casterman, 2010

Ainsi soit Benoîte Groult, Grasset, 2013

Adieu Kharkov, avec Mylène Demongeot et Claire Bouilhac,
Aire Libre, 2015

Joséphine Baker, avec José-Louis Bocquet, Casterman, 2016

Mise en page : Françoise Pham
Merci à Margot Sounack, une stagiaire très efficace

Loi n° 49-956 du 16 juillet 1949
sur les publications destinées à la jeunesse
ISBN 978-2-07-509739-0
N° d'édition : 376581
Premier dépôt légal : mars 2019
Dépôt légal : octobre 2020
Imprimé en Espagne par Edelvives
Le papier de cet ouvrage est composé de fibres naturelles,
renouvelables, recyclables, et fabriquées à partir de bois
provenant de forêts gérées durablement.